A

鴻 FEB. 99

李碧華

荔枝債

目錄

雙妹嚜

展
Exhibitions
11-12

在藝術中心任職 GALLERY ASSISTANT 已有四個月的葉明進，對這工作漸漸適應。他與同事主要負責畫廊開展前的準備、期間當值，展覽完畢善後等工作。他們採取輪班制，早十時至晚六時一更，近日輪到他當午十二時至晚八時收館的那更。

本來也不在意，但隔兩三晚，便見阿婆出現，徘徊不去，似在找尋甚麼，他才奇怪起來。

這兩星期，包氏畫廊五樓展出本地首次策劃的「找尋藝術」。意念新穎、神秘而有趣。展出的物件來自普羅大衆，都是經過遴選的有意義紀念品，不能以金錢衡量其價值。主人年齡由十五至七十多歲。

也許這次宣傳做得好，所以參觀的人很多，熱心的還在小冊上提意見。葉明進在他桌前招呼，和售賣特刊。抬頭：

「阿婆，又見到你了！」

「是呀後生仔。」她的頭髮夾雜點銀絲，細眉小眼，笑起來，瞇成窄縫。葉明進直覺她十分柔順而忍耐。

她問：

「這幾天有沒有甚麼特別的人來參觀？」

他不覺得誰是「特別的」，便笑：「阿婆你最特別了。一般人都是看一遍，只有你最熱心。」

「你喚我『嬌婆』吧。」她道：「我有東西展覽，在那邊！」

她領他到一個玻璃櫃前，指着那簡介：「陳桂嬌，七十五歲」。展出的是雙妹嚜花露水。還有幾行小字，是每個參展者想說的話：「這是我親愛的人送的。」

至今五十年了，各散東西無音訊，我常常想念着。」

——如今你在哪兒？

葉明進便仔細地瀏覽一下。招紙上兩個穿旗袍的女子，梳劉海直髮，依偎相擁，一個把手擱在另一個肩上，各踏鮮艷老土的高跟鞋。背景是山水小艇。註明「廣生行有限公司」。

除了花露水，還有粉底霜、爽身粉、檀香水、雪花膏、牙粉和生髮油……。

——我望你別怪我！

像古老可樂瓶，幽幽的綠色。

算來，該是二三十年代的「名牌」了。當年她一定很會裝扮。葉明進想：爛船也有三斤釘。今日這阿婆也不難看，可見底子厚。

他知道她是一個癡情女。多難得，矢志不渝。只有電影才出現這樣的情節。

過了兩天，葉明進低頭吃飯盒，翻着一本有關電腦的參考書時，嬌婆又來了：

「這幾天有沒有甚麼特別的人來參觀？」

他笑笑搖頭。

「咦，你吃鳳爪排骨飯？別吃這個。」

「爲甚麼？」

「我不吃的。」嬌婆體貼地解釋：「無益呀。那時見廚房買來一大籮，全倒在地板坑渠邊，不乾淨，醃兩醃就蓋住臭味。我幾十年都不吃。」

「你做廚房？」

嬌婆道：「我廿幾歲時來香港，在仙香樓做女招待嘛。」

仙香樓，他沒聽過。女招待？咦，當年正經人家怎會拋頭露面出來打工？看來，每個人都有一段故事。

「那些茶客很衰，摸手摸腳，乘機揩油。」

嬌婆的少女時代似乎也吸引過狂蜂浪蝶。其詞若有憾焉。

「你如何對付？打他一巴？」

「不止。」她很堅毅地撇撇嘴：「我提起水煲，用滾水淥他。……有一次，有個惡爺乘機發脾氣，又恐嚇出劍仔，還不是想人同他開房？我才不會這樣賤！」

——幸好有人出來擺平。出道早，代陪罪。

——還陪我到胡文虎花園玩。

——買了兩包泡泡糖，粉紅色，有女明星相片送。我不慎吞了泡泡下肚。糟了糟了，塞住腸子了。「別怕，我陪你！」

——愛送我化妝品裝扮。花露水、粉底霜、爽身粉、檀香水、雪花膏、牙粉、生髮油……。

「嬌婆，嬌婆！」

「甚麼？」她如夢初醒。

「你自便，我要工作。」

有參觀者在入口的桌子等，他連忙過去招呼。便剩下嬌婆自己一個想當年。說的只是皮毛。

她無法把心事告訴一個陌生的畫廊助理。小伙子職務又忙。也許只是禮貌，陪老人家聊聊天。

嬌婆寂寞地走過展覽廳。

展品都是人們的珍藏。一些充滿濃情蜜意，一些寫着苦難折騰。舊照片。母親送的第一隻手錶。戰時糧票。古畫。一品夫人像。郵票。首飾。石頭。證書。玩具。儲蓄箱。四節小指的掌印。微型手抄唐詩三百首。海難郵件。用銀紙摺成的菠蘿。弓鞋。定情信物……。

——定情信物。

雙妹嚜。

各人珍重自己的物件。各人珍重自己的故事。這不是甚麼「藝術」。到了最後，只賺得「回憶」。

陳桂嬌並沒把真相說出來。

——親愛的人是程妙英。

桂嬌瞞住妙英，出過去一次。

由表嬸介紹，到威靈頓餐廳與張建國相睇。

建國想娶一個老婆，由澳門搭大艙過海。他告訴桂嬌，船公司爲了爭取搭客，送一碗叉燒飯呢。他又說，香港不太平，又要躲日本仔了，不如過澳門搵食，公一份婆一份。有主人家，好過單身做女招待，被人欺。

桂嬌也捨不得妙英，情同金蘭姊妹。

「你不要嫁人！」妙英道：「女怕嫁錯郎，男人都無本心。你嫁了給他，就不會那麼好相與，又粗魯又污糟。而且，可能鄉下有老婆。你戴了他戒指，箍死一世。以後想同我來住，都隔重山。會當我外人了。我決定梳起。你同我一齊梳起，自食其力，儲幾千銀就同銀行借錢買樓，我會寫你個名的。男人都是賊！你不要嫁吧。萬一你嫁人，有三長兩短，再回來找我，我就變卦不理了。你想清楚，是不是我對你最好？」

妙英把她擁抱，還親吻她。反應很大。

桂嬌害怕得毛骨悚然。推開她，聲音顫抖，該怎麼解釋？不忍一口拒絕，但又不能泥足深陷。——妙英爲了陪她，連泡泡糖也肯吞下肚中！

桂嬌避開她的嘴唇。她已吻過她一下，唾沫在她嘴前擦過。妙英萬萬料不到是這樣的。她洩氣了。那塊泡泡糖結成硬塊，堵塞了血脈，呼吸困難……。

葉明進對常客嬌婆打個招呼：

「今天——有特別的人來過呢。」

「甚麼？」嬌婆終於等到了，聲音有點變：「有沒有問你問題？看過我那些東西嗎？是誰？在哪兒？」

「是一群失明人士。」葉明進答：「他們來『參觀』過。也許因爲展品中有一枝盲公竹，是一位失明學生的『信心支柱』吧。」

嬌婆有點失望。

——那天妙英更失望。

妙英拎出一份禮物來。捏得很緊。

「桂嬌祝你百年好合永結同心！」

是雙妹嚜花露水。

她盯住那「雙妹」的圖片：她倆曖昧地永不分離。省、港、澳，中國各地：上海、北平、南京、蘇州、大連、長春……。

只有圖畫中人笑得那麼春意盎然。那個瓶子，綠色的：一頭貓在靜夜中的眼睛。

「妙英你不要怪我！」

「不，我怎會怪你？」妙英笑：「你去嫁人吧。」

後來她慎重而又悽愴地叮囑：「——最好不要讓他親你的嘴。我親過！」

桂嬌的臉陡地紅起來，羞愧透上來，眉眼低下去。她永遠都保守這秘密！

桂嬌辭了工，又搬出妙英住的永吉街公寓，她過澳門，開始新生活。

她以爲妙英原諒自己，放開懷抱。瀕行致意：

「祝你早日找到如意郎君。有空來探我。」

——妙英後來也坐大船過澳門。

她沒有找她。

她抓住一瓶雙妹嚜花露水，在途中，跳進海裏。被人發現時，船已駛得好遠。也許她獲救，也許沒有。

桂嬌沒有她的音訊。

她不相信她死了。

——但，桂嬌內疚，悔婚。一直不肯嫁人。

這樣做是對不住建國的，他酒席都訂了。只是桂嬌忽然間覺得她沒臉去嫁人。

都不知道是否在等妙英。奇怪。

一直到了今天。

其實她有去過扶乩的。就在來之前吧。開乩之時，大家可取「問事表」，有紅表有黑表。書記以爲她取黑表求藥方呢，她原來問結果。因爲她都等了她十幾天了。對方一點表示都沒有。

她脫了鞋，合什跪於祖師像前，骨頭硬了，有點風濕疼，不過很誠心。乩手手握蓮花狀，以兩手的中指托着丁字架，請了神，丁字架的下垂部份便在沙盤上飛快地寫字。

桂嬌閉上眼睛，心中唸着她少女時代開始已熟悉的名兒。今天是展覽最後一天了。

那書記張先生後來給她一張紙，讀給她聽：「阿婆，這是祖師給你的指示：『夜半渡無船，驚濤恐拍天。月斜雲淡處，音訊有人傳』。」……

「今天是最後一天了。」

葉明進環視冷清清的現場。「找尋藝術」又過去了。下一個展覽是水彩畫展。他們明天將進行拆卸，參展者憑着藝術中心所發的收據，一一取回他們的展品。

「嬌婆，八點鐘，關燈了。你等的愛人終於沒有來。算了。」

嬌婆只好轉身欲去。

忽見她雙眼直勾勾地，瞪着她那堆珍藏的故物，丟魂失魄，灰白的臉罩上死光，如荒寺的石燈，僵在寒夜中。

「不！她來過她來過她來過！」

「甚麼？」

葉明進收拾雜物，遙遙望見老婦。失常地指住玻璃櫃。

一切仍在，沒有移動過。

「嬌婆，這些櫃都是上鎖的，很安全。而且玻璃不碎。保安那麼嚴密——」

「她不肯原諒我！」

嬌婆簌簌地抖起來，比任何一晚蒼老衰弱，萬念俱灰。

他不知底蘊只走過去安慰她別執著了。

走到一半，葉明進怔住——

他分明看到，那根本沒可能被移動的「雙妹嘜」產品，所有的商標，其中一個女子的臉，被生生撕挖掉了。

只留下一個一個空洞的白痕……。

味噌汁

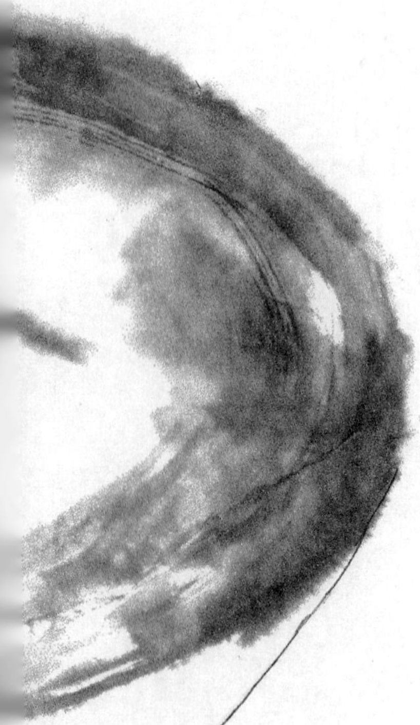

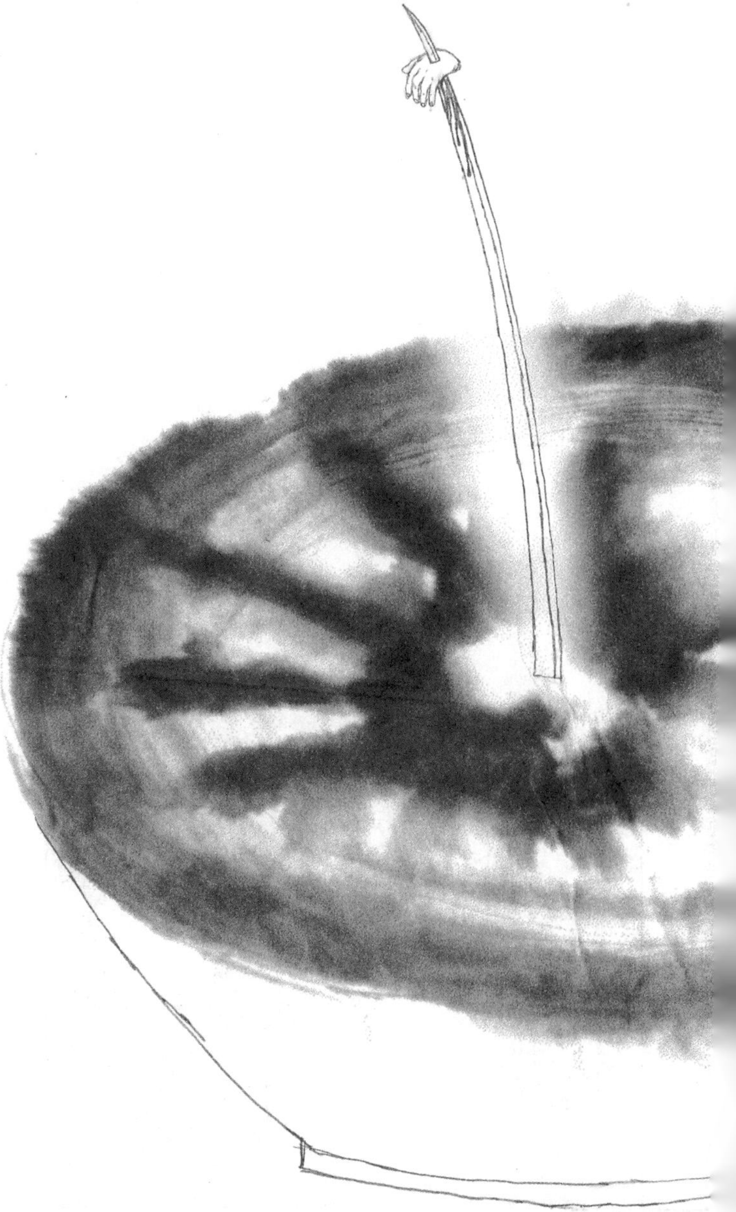

「**喝**點滾燙的味噌汁吧。」護士和子給野間忠夫端上一碗節日的雜煮：

「我已經爲病人到寺廟去祈福，消除一百零八個煩惱。」

野間忠夫緩緩地接過了碗。

預備離開療養院時已是新年。

不管以前發生過甚麼，漸漸不願想起。

他是戰敗國的俘虜。被蘇聯方面從西伯利亞遣返中國，曾關押在「撫順戰犯管理所」接受思想改造六年。即使是滿洲國的皇帝溥儀，也同一待遇。

終於他與一批同僚獲釋，在舞鶴登陸，回到和歌山縣。

他並沒有馬上進老家的門。他得了一個極奇怪的病症，這四十多歲的軍人，不肯喝水。……

又住院五年，說是痊癒了。他近日比較樂天，而且善忘。沒有人知道是不是因爲針藥和電療的結果。

野間忠夫遲疑地瞧瞧那冒着氤氳蒸氣的味噌汁。他渴望了很久，過年了。他平靜的新生活。

和子鼓勵地：「慢慢喝。裏頭有小年糕呢。」

學習自己喝湯。唇湊近碗沿。圓形的小鏡餅，浮蕩而黏膩。她笑：「先小小的喝一口——」

驀地他抖起來。

又是那隻小手！它還在！

細嫩，白胖，長着梨渦的小手。無辜而天真地伸張着。像一下最終的哀求……。

野間忠夫臉色煞白，那條冰涼的回憶的蛇又爬上了脊樑。他分明見到它。他又見到它了！霹靂一聲碗摔在地上。

「燙着了？」和子皺皺眉。

他囁嚅地：「……沒甚麼。」

小手搔抓到他心上。輕輕地，很癢。

「我好了！」他强調。

日子並沒有過去——

野間忠夫奮力地喊：「殺！殺！殺！」用他慘烈的叱喝來壯膽。

花姑娘！

一脚踢開破木門。這村莊已被「征收」。別説雞，連雞蛋也找不到。但他曾殺得那麼痛快，心底總是有些甚麼要宣洩，它在裏頭跌跌撞撞，找尋出路，他要花姑娘！廿五歲時入伍，高小畢業，一向只當卑下的搬運工人。只有在戰場才是强悍的侵略者。一九三七年八月廿七日，隨軍登陸吳淞鐵路棧橋。中國軍隊從上海撤退，他們步步進逼。十二月十三日，佔領南京。

南京！中國的首都！

谷壽夫團長下令解除軍紀三天。屠殺開始了。一旦掌握武器，佔盡優勢，野間忠夫已是個極其「標準」的士兵。學校的老師、寺廟的和尚、報上的招募廣告、廣播上的「玉音」……，都這樣教曉他。

炕上瑟縮着一男一女。灶上冒着熱氣。

他像一頭獸地看着她。先把男人抓出來。

在「戰爭」神聖的遮蔭下，只不過一個士兵，一般人良心絶不允許幹的任何事情，他大白天就可以爲所欲爲。

眼睛紅了。

這個一塌糊塗的狗窩似的家。

野間忠夫一手扯開染了血污的棉被。唔，先把男人抓出來——

稚嫩的男子，十三四歲，頭髮剃得像刺蝟，臉上塗了泥巴和鍋煙子。

女人緊張地盯住他倆。

太有經驗了，突如其來伸手在下體摸一把，他驚懼地護住，「他」是個姑娘！

野間忠夫獰笑着一扯。女人咬牙僕倒地上，屈辱地哀求：

「求求你，放過我妹子。她還小，我代她！」

女人挺身而出，卑賤地先拉開自己的衣襟，擋在他與妹妹中間，她流淚：

「我代她！」

他咆哮着把妹妹推到牆角，女人死命糾纏，妹妹咬他，踢他……。

「鬼子！禽獸！」

野間忠夫盛怒地抓住她的頭，撞向磚頭造的牆上。妹妹軟軟地垂滑。

女人狂哭。

他重重地摑了幾個巴掌，在她昏眩痙攣當兒，撕扯下褲子，像野狗地仆上去。

「哇哇！」

突然，是嬰兒的哭喊，悽厲地一聲緊似一聲。

他馬上扭過頭來。

女人光着下體飛撲到一個木桶旁，幾件衣服蓋在上面。她用整個身體捍衛着。野間忠夫一步一步走過來。她渾身哆嗦，但非常堅定，她的眼睛警告他，無論如何，他不可以動孩子一根毫毛。

連一個這樣的女人也征服不了！他覺得是侮辱，他是戰勝國，統治者，他是英勇兇悍的關東軍士兵。一腳踩上她肩膊，一手把她的臂擰彎，不費勁地把嬰兒倒提起來。

「不不不！」

嬰兒哇哇地在半空晃盪。

母親發狂地，撿到甚麼用甚麼扔他，妄想搶回孩子，她抓住他上衣，伸盡了手，沾不着邊兒。驀地摸到他的軍刀。他警覺：

「八架野鹿！」

野間忠夫抽出軍刀，猛向她頸部劈去。

——一下子，時間僵硬地凝住了。

刀很鋒利，但慌亂中，用力不當，只是斜斜地劈下，頭顱半側地吊掛着。

嘶——嘶——嘶——洩氣的聲音。

她很痛苦，用爬滿血蜘蛛似的紅絲的眼睛死盯着孩子。伸出不聽使喚的手，企圖把頭顱扶托回原位。她也許只想說：放過我的孩子！

嬰兒毫無節制地哇哇大哭，因身體倒轉過來，那哭聲很難聽。像錐子在刮鐵片。

野間忠夫恨透了這不如意的一天，甚麼都得不到，白費了力氣。

灶口有個冒着熱氣的鍋，他翻開了鍋蓋，正煮着一些浮着葉子的湯。他把所有的怨憤不滿，都發洩在這一下手勢——

嬰兒悽啞地沉默了。

日子一天一天過去。

多少年了。戰犯把一切都交代清楚，諉過於身爲戰爭的工具，方被引領實施一切殘酷而又恐怖的軍事行動。

某一天，這隻煮熟了的小手又如故人般，找他來了。

野間忠夫一直不怎麼肯喝水。

口腔裏一點唾液也沒有，舌頭緊貼上顎，膠結在一處，那麼乾澀、枯竭。只渴望喝一口水。——每當他受盡煎熬焦灼的唇湊近時……。

沒有控訴，沒有鬥爭，那是世上乏力而又軟弱的，嬰兒的手，黏膩如軟軟小年糕。

枉死的亡魂太多，不知向誰索償。也許只因最初的記憶中有他。不肯放手。

野間忠夫很長壽呢。今年七十八歲了。

這詭秘的驚怖惆悵，一直伴他老去。沒有人可以分擔，只是永恒的隱疾。他不能死，他得這樣活下去……。

「我永不跳舞！」

在歡樂迪斯科門外，發生了一宗奇怪的命案。

一個公安被打破的啤酒瓶割斷了咽喉。——他當場沒有死，只是翻着不可置信的白眼，發不出聲音來。可見在毫無防備的情況底下遇害。

街道上的人都說，這很意外。最初不過兩個人說着話兒。

趙文明先見到他給迪斯科當護衛，上前道：「老丁，你怎麼在這兒？」是這樣的招呼着。

後來，不知咋的，也不過說着話兒吧。那趙文明，心裏的火一下子竄到臉上來。通紅通紅的，太陽穴突突跳。看不出那麼文弱的一個書生，咬牙瞪眼，在旁邊店裏抓了個啤酒瓶，猛地敲破，就朝老丁咽喉捅過去，橫地一割。好狠！

在鬧市中，公安被襲擊，他活得了，做案的人也活不了。若他活不了，那是更無生路可言。——在這裏只有最笨的人才肯這樣幹。要不他就是精神病。

而趙文明原來是個老實人。

他瘦嶙嶙的，一臉憂鬱相。一定是心理上的障礙，老低着頭，沉默，看上去是過早的佝僂。他廿九歲。無業。

之前是個老師。在中學裏教美術呢。算來是知識分子。

他坐過牢。

剛放出來不久。受過「教育」，更加老實。

且這老丁，他是認識的。

老師幹麼被關進號子裏？

那就先要瞭解國家的政策，打個底兒。鄧小平不是說「開放」嗎？長期抑壓，一下子放寬了，大伙戰戰兢兢地把腳探出去，一步、一步……，没事，都很興奮。當初想都沒想過的美事，莫不爭相嘗新。步伐驀地過急，手足失措，漏子馬上出現。尾大不掉，鬧哄了兩年。

八三年運動來了。

各省市爲響應「反精神污染」運動，街道上、單位上、學校裏都組織學習，爲打擊刑事犯罪分子，號召揭發檢舉。

一時之間抓得相當緊。嚴禁中學生早戀、嚴禁大學生結交老外好友、嚴禁成年人賣淫、嫖妓、離婚。厲行計劃生育。海外言論開放的雜誌一律抄出來。黃色錄像黃色小說都一把火燒掉了。鄧麗君的歌唱磁帶，統統砸爛。……

非常倒霉，趙文明被檢舉了。

事後那老朋友，還是高中同學呢，向他道歉：

「老趙，他們用電棒來打，受不了，不得已……」

他從來没想過自己會被抓。收審期間，頭已先被剃得光光的。非常滑稽，而且恥辱。

是老丁給他寫的報告：

「跳舞？」

「朋友過生日，在家開舞會，大家聽歌跳舞。」

「甚麼歌？」

「月亮代表我的心。」

「那是精神污染的歌。甚麼舞？」

「兩步，三步那種。」

「哦，聽的歌那麼下流，燈光又那麼幽暗，還抱在一起貼着身體跳？不就流氓舞會嗎？」

「老丁，你又不是不認得我——」

「認得，你是老師。老師當上了流氓，在動機上，思想上，造成影響多大！簡直是社會上壞分子。——政策上是那麼定性。」

趙文明被定性，他是「花案」。

當其時，領導非常積極地響應運動。上面下條子抓人，名額是七百五十。若他們抓到一千名，那自然表示執行得徹底，成績輝煌。

趙文明和當晚一起參加過「流氓舞會」的同志都是「花案」。十多人差不多全被抓了。

——除了沈莉。

沈莉是跟他跳舞的那個姑娘。

他堅決不檢舉她。

沒供出來，一，她是護士，上班不久即搞腐化，關進牢房去，日後也就毀了。二，他是有點喜歡她的。——也許這才是理由一。

「當時還有誰，我看不清。」

「趙文明你莫要知情不報。罪加一等。」

「都轉着跳，誰跟誰，太近了，反而看不清。」

「——靠得很近嗎？」

於是案情又嚴重了一點。

開放政策受到批判，是因爲它會帶來「性解放」的壞影響。

「這事你可得合作，好好交代，遲早會捅去，早說了晚說了，脫不了干係。你何必充好漢？」老丁倒是爲他着想。

他還是沒供出沈莉的名字。故查無實據。

頭一天坐牢，受盡折磨。

那是另外一個世界。牢房由廢置的倉庫臨時改裝，以便容納更多犯罪分子。號子裏頭充斥來自三山五嶽江湖河海的問題人物。當然，有走私、搶劫、强姦、殺人、放火、黑槍、打鬥……，也有一貫道的和尚，也有「勾環」的——他們在腳踏車上的鐵桿子上頭，弄上一個鈎子，伸進婦女的子宮，把那强逼裝上去的環給勾出來。因她想多生一個。罪名是「破壞計劃生育」。

也有像趙文明那樣，「花案」。——這在號子裏地位最低。世界各地都一樣，不大瞧得起，因爲不是大案子。

而且又是個文質彬彬的老師，大伙一人一腳把他踹到最裏頭。

躺在最前邊的通常是老大。那兒空氣好，分食快，饅頭還可以多佔。輪到最後的，很屈辱地，擠在五個尿桶旁，一百四十個人都在此解溲，大便則拉在紙上，捲好，一扔。髒東西每每乘時飛濺，灑了趙文明一身。

他是人模狗樣的過日子。

所謂「收審」，還未起訴，也未判刑，但已在坐牢了。末了還不算在刑期裏。在中國，是有這種習慣的。到你無罪釋放，沒有人賠你這段流失的光陰。

那陣子抓的人太多了，輪着審查，熬了五個多月才輪到他 。他也不知道是那一天。每天煩悶得如有一團鐵絲綰在他胸口，連輾轉反側的餘地都沒有。睡的時候就像罐頭裏的魚乾。

他更乾，更沉默，更謙卑，被遺棄的孤寂。——不知沈莉明白嗎？

終於他又面對老丁。

都是市内的老百姓，見着眼熟。

他寫交代。就思想上的錯失來檢查。

比起其他人，看來没甚麼，但說來他的罪挺大的：精神污染！在中國，思想上的錯失往往貽誤終身。

第一次呈上的交代材料寫了三張紙。

「三張？」坐在老丁旁邊的審查官們不屑道：「算哪門子交代？起碼得八張！」

他回去，又把當晚的情景重新敘述，填滿八張紙。

「哦？叫你八張就八張？甚麼態度？」

那疊交代材料躺在桌面上受窘。

老丁做好做歹：「要深刻點，明白吧？」

趙文明十分克制。把汗濕的手揑成拳頭，死命嚼着嘴唇。

他明白了！

這些日子裏，聽得號子裏的犯人總是説：「坦白從寬？牢獄揹磚！抗拒從嚴？回家過年！」——有的靠出賣，有的靠技倆，有的靠看風駛艃，迎合審查者歡心。

眼前是刺眼的傷神的一道强光，他敵不過他們，他也出不去。早點低頭，捨下臉來，招了，早點結束。就憑你們判吧，算了。實在太累了。他覺得腦子疼。身上也疼，長滿了疥瘡，蒼蠅在叮。

趙文明把心一横。他明白了！

甚麼交代？還不是具體的犯罪過程？領導愛看！他搞通思想後，便把自己做案的心情、那腐化的環境、靡靡之音、摟抱着姑娘跳貼面舞的過癮，洋洋灑灑，作了極其肉麻、可恥、巨細不遺的描寫。一句話能説完的交代，足足寫好十五張紙。省作協應該吸收他！

鄧麗君是這樣唱的：
「你問我愛你有多深？
我愛你有幾分？
我的情不移，
我的愛不變，
月亮代表我的心！
輕輕的一個吻，
已經打動我的心。
深深的一段情，
教我思念到如今，
……」

他還檢討流氓心態——都看不清女的是誰，就想吻她。音樂一停，她馬上逃掉。

趙文明又給關進去等候宣判。

他全身的力氣和尊嚴都耗盡了。

一個坐過思想牢獄的人，基本上已經不算是「人」了。何況還得狠狠地把自己踩上兩腳，非這樣不能算交代。

「怎麼樣老師？」大伙都來嘲笑他：「要不要受宮刑？嘿？」

領導很欣賞他能如此嚴厲的攻擊自己罪行，檢討十分深刻，有悔改的決心，也就寬大他，原本兩年的刑期，給減到一年。

他覺得自己偉大，如此戮力地維護過一個姑娘。

明明記得沈莉的臉的——但，也許說多了，重覆一遍又一遍，他竟有點相信，是真的看不清。

她面目模糊了。

但不要緊，她已化成他的信仰。

最難忘是放風那天。

他很久没見過月亮了。當然，其實包括大太陽的天空。不過隔一陣子，大家可到外面放風，走動。

奇怪，那天是甚麼大日子呢？除開他們以外，還有一隊伍的女犯人在不遠處操過。她們都一個跟一個，一個跟一個，木無表情地走着，很快便過去了。

但趙文明像從來未曾見過那麼多漂亮的女人，一個個，彷彿花枝招展，表情豐富，都很美！他神爲之奪。的確很久没見過女人了。

一個個，都是沈莉呀。她微笑，她皺眉，她沉思，她咬牙，她……

咦他又把她給重溫一遍。

眼前一切在打轉，醉人的快意如一股春水浸透了他腌臢的身心。

放風回來以後，他特別熱切盼望，終有一天，他給放出去。

這些苦算甚麼？都值了。

縮在胸口的一團鐵絲，柔柔地化作東竄西嚙的小蟲兒，他有點昏眩，神秘而莫名的恐懼令他受驚。她是一個影子，背着光。美得不得了。桃花源中，暗香浮動，但她是誰？……

趙文明拽一拽濕濕了的褲子，實際上他乾涸得想喝一口水。他的臉變色，想不到自己如此的下流。——這種溫柔而痛楚的感覺叫他焦躁不安。

他數算日子。

他在挨，一天，一天，一天，一天……

三百六十五天——先頭五個月不算。

放出去那天，下着毛毛雨。他抬頭，呀終於見到一望無際的天空。

但在出去之前，他得簽下一份保證：「我永不跳舞。趙文明。」

趙文明是個非常倒霉的人。

教職當然丟了。學校裏也不請參加過流氓舞會的老師。從前學生路上遇見不好意思喊他呢。

媽早已不在。爸在食品廠，還是個科級。兒子坐過牢，有恥家門。爸幾乎每天都教育他，兼且讓街坊組長和鄰居們也聽見：

「舊社會的公子哥兒才跳舞！」

「妖裏妖氣的，準沒好下場！」

「別讓環境帶壞，四化還得靠你們呢。你看你看，不知甚麼時候運動又來了，就是個污點，就挨整！」

趙文明一語不發。

人人看他不上，都不要緊，他都認了。

但沈莉——

才不過一年多吧，她已經找到對象嫁人了。她壓根兒就沒感激過他。

她一定以爲自己幸運，逃過檢舉。從沒想過一個舞會中邂逅的廿九歲男子，他叫趙文明，如此奮不顧身地，犧牲過。

她沒認他。

中國太大，人太多，誰來關心一個無辜的小人物？

趙文明一直找不到工作。他爸走後門，替他在一家出版社求個校對的位置。

他想，自己文筆極流利的，都是寫交代給訓練成材。也許可以重新做人。

——出版社那邊要研究情況，說開個會再談。

凶多吉少了。

今天他在街道上蹓躂，這一陣都愛在街道上蹓躂，怕回家。自己是一個城市中的廢人。日子比在牢房中難挨。

忽然見着老丁。

老丁調到這兒，給迪斯科一帶當巡視，以免流氓跑到裏頭搞搗亂。——換句話說，他是在「護衛」跳舞的人了。

趙文明不知道世道變了：黃金漲價，兑換券可能取消，若不取消，有貶值的政策。市面上流行卡拉OK。唱京戲的小生跑到茶座演唱時代曲。迪斯科和大酒店都由香港人投資。這家「歡樂」是新建的。

趙文明上前道：

「老丁，你怎麼在這兒？」

「是你。」

老丁有點不好意思。

「——不是說不許跳舞嗎？」

「從前是。不過又開放了。」

「你們把我抓了呢。」他囁嚅。

「算了，你運氣不好，要求平反試試。」

「我往哪兒要求去？連你都調到這兒來。」

「這冤假錯案，咱國家還少麼？——只能說運氣不好。」

「老丁，我怎辦。我没活路了！」

「甚麼死路活路的，可太嚴重吧。在這兒誰没挨過整？」

「明明不准我跳舞——」

「你有完沒完？」老丁有點火了：「我吃公家的飯，政策叫我抓就抓，放就放，叫我整就整，保就保。我是個跑腿的，只有服從命令的份兒。」

「但我關了一年多，不如不放我。真不明白爲甚麼又可以跳舞了？」

趙文明神情不對了。他像一個離隊的旅人，獨個兒在雪地漂泊，冷得要死。是誰作弄他？是誰毀滅他？問蒼茫大地，誰主沉浮？他拚命抓住一個歷史的見證人……。

「老丁老丁——」他搖晃着他。

老丁紫漲了面皮。這又不關他的事。只道：

「這點小事，跟文革一比，可差遠了。你就是倒霉吧，別看不開，不至於死。毛主席早說過啦：『死人的事是經常發生的。』，就這麼回事。趕明兒大伙不要學雷鋒，也許學魏京生去。張志新沒死，如今不也當上省長嗎？——」

他不要聽！他不要聽！多麼逆耳，冷酷得半點人味兒也沒有的話。他不要聽——

話還未了，一下尖寒的玻璃迸裂聲，一個鋒銳的啤酒瓶，朝咽喉捅過去，橫地一割，老丁一脖子血污，再也發不出聲音來。

張志新？她以反對四人幫獲罪：「反革命」！行刑前，他們生怕她嚷嚷，說出甚麼遺言來煽動群眾，遂先行割斷了喉管，奄奄一息送上刑場……。

她是個漂亮的女子。

漂亮的女子。

趙文明並沒逃走。他站在那兒呆住了，只翻來覆去看着自己一雙手，手中染滿溫熱鮮血的破瓶。這雙手，抱着一個姑娘跳過一個舞。

本來是國家讓跳的呀。開放嘛。

在運動和鬥爭中長大的男人，幾曾聽過如此柔膩婉約的女聲：

「你問我愛你有多深？

我愛你有幾分？

我的情不移，

我的愛不變，

月亮代表我的心。

……」

如夢囈，如高潮。有氣無力，極其誘惑。撫慰枯澀的心靈。

命運真微妙！前塵後路一片空白。他歎了一口氣。

不要緊。「死人的事是經常發生的。」

——他堅說自己不是精神病。

他只非常剛毅而肯定：

「我永不跳舞！」

這是他最後一句話。

× × ×

後記：一九九〇年十二月，北京開拍劇情片「毛澤東和他的兒子」，飾演毛澤東的是演員王仁。開鏡所拍的一場戲，是中南海一個舞會場面，毛澤東正摟着一個年青貌美的文工團女同志，跳着舞。(美聯社傳眞)

素卿

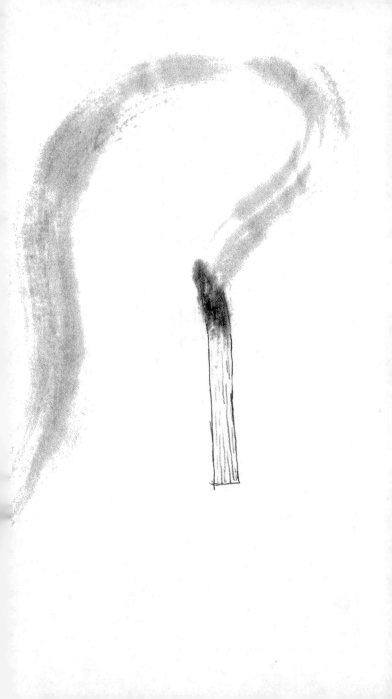

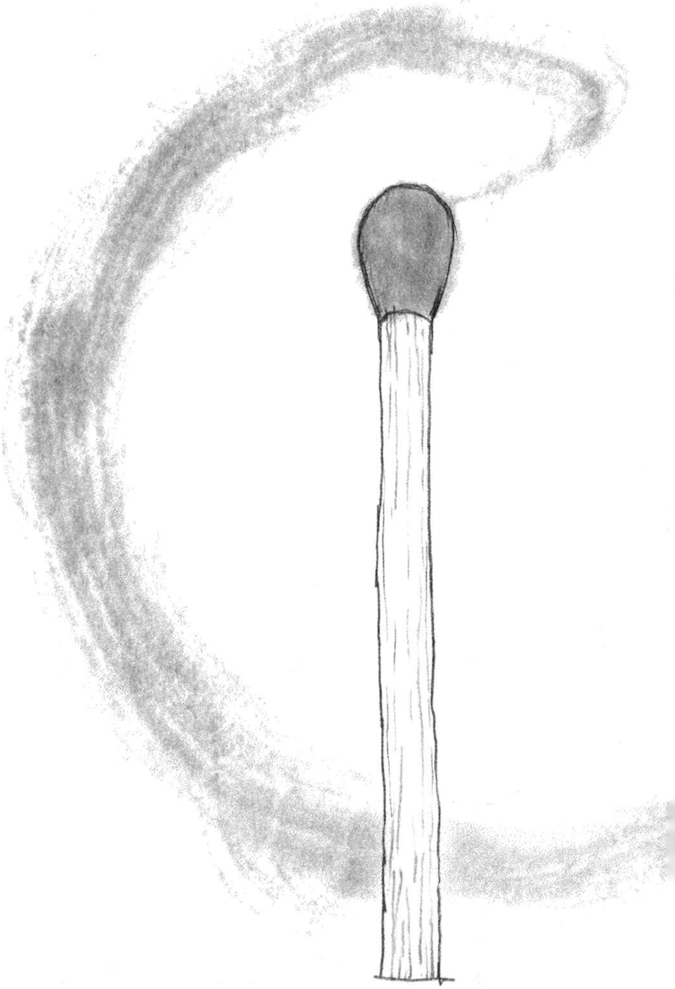

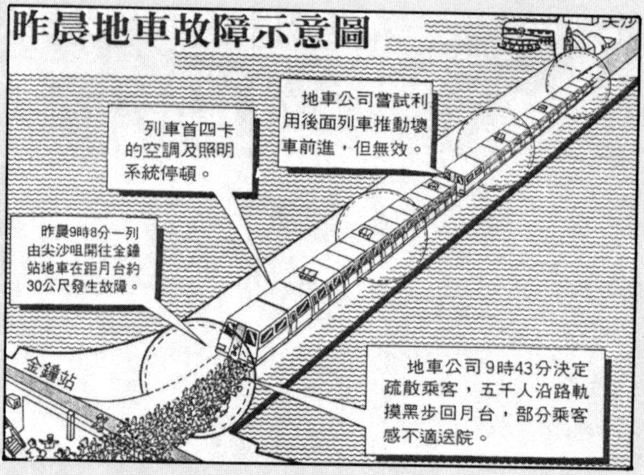
昨晨地車故障示意圖
尖沙
地車公司嘗試利用後面列車推動壞車前進，但無效。
列車首四卡的空調及照明系統停頓。
昨晨9時8分一列由尖沙咀開往金鐘站地車在距月台約30公尺發生故障。
金鐘站
地車公司9時43分決定疏散乘客，五千人沿路軌摸黑步回月台，部分乘客感不適送院。

舒娜拍拖五年，下個月中便到泰國旅行結婚了。

她有個在旅行社工作的舊同學，告訴她機票就快全面加價，所以她一早乘搭地鐵過海，快快出了票。兩個人起碼可省回兩百多元。

還沒結婚已像柴米夫妻般精打細算。舒娜一笑。

九時零五分。人很擠，都是上班的工蟻。地鐵每日載客約二百萬人次，她便是其中之一。世上每日都有情投意合之男女走在一起，她也是其中之一。

這樣的生活不新鮮，總在意料之中。

地鐵離開尖沙咀站，駛進海底隧道後不久，車便停下來。太常見了，也許得耽誤三五分鐘。

但停車後不久，車廂的燈滅了。空氣調節也停下來。

「由於控制系統發生故障……」

乘客聽到廣播，惟有無奈等待一陣。

舒娜想，到了泰國，盡情地吃喝玩樂，嘩！一個容光煥發的蜜月新娘，要些甚麼，男人總得由她。……

根本忘了待會要面對那奄尖腥悶的客户黎姑娘，投訴公司趕出的一批成衣貨辦，洗水後有點變形，需要另外配料重造。

「你呀，」東尼這樣討她歡心：「成天對着那些設計得奇形怪狀的新衣，其實你隨隨便便，不化妝的樣子更SWEET。我喜歡清秀點的老婆！」

「哼！我知你意圖禁止我打扮，最好即時飾演黃臉婆。」舒娜膩在他臂彎中：「錢是我賺的，我有權大花。難道要學你去買外幣——」

提到外幣，東尼馬上噤聲。澳幣高升時他沒有放出，後來一直跌、跌、跌……。

兩個人的錢今後要合起來組織小家庭，前景明明可見。沒關係。他是她的大頑童。

車廂越來越悶熱了，汗臭和奇怪的酸味，她被擠壓在中間，十分難受。但甜蜜的思緒並未爲醜惡的現實所污染。

司機宣佈正在搶修。

舒娜看看手錶，差不多四五十分鐘了。大家非常不耐煩。

地鐵突然開動，走不到幾秒，列車連番緊急煞掣。——原來是利用後面的車卡推動壞車前進，但無效。

地鐵通車十多年來，沒發生過這種事兒：全部乘客得走往車頭下車，徒步走過海底隧道。

「回水！回水！」

「嘩！精采，活到這樣大也未試過行路過海！像走在黃泉。」

「小心錢包呀！」

「遲到了！老闆一定以爲我在作古仔！」

「車尾有人暈倒！」

「有沒有攪錯，黑麻麻，怎樣行？」

「喂，你想非禮呀？」

嘈雜的人聲，加添煩躁。幾千人呢。舒娜亦只好隨大隊沿着路軌走。

回去一定得形容給東尼聽。你以爲人人都有這寶貴的經驗麼？只恨沒有照相機，否則可以拍照留念，將來給女兒看。——第一個最好是女兒。不過計劃三年後才生……

嚓——

一根火柴被擦亮了。

「素卿！」

舒娜没在意，只一直戰戰競競，摸黑向前進。

過了一卡車廂，又第二卡。像一隻隻龐大的怪獸。

「素卿素卿！你等等我！」

一個男人排衆追上來。

火柴又滅了。

男人馬上又擦亮一根。微弱搖閃的一點紅。明昧不定，男人的手有點抖。

「我？」舒娜回頭望他一眼。「先生你認錯人了。」她没理會，只往前行。

「素卿，你不要聽七姑太來說是非，説我到石塘咀捐燈籠底。我成天出舖頭，你是知道的，哪有時間行攪？」

「你說甚麼？」

「我根本沒有同情影溫。你跟了第二個，人家知道我戴綠帽就該煺了！」

舒娜沒好氣。心想，走進這個黑洞，又遇着這個黑人，真是當黑。

火柴滅了。嚓——。舒娜就着刹那的火光，望着那男人，希望他看清楚，自己不是甚麼「素卿」。素卿？真是惡俗之名兒。舒娜中文名是淑芳，都已經夠老土——

一點紅光。

舒娜見到一張模糊的俊臉，清秀斯文，官仔骨骨，頭髮中分攏向後。他有雙焦灼、迷離的眼睛。

「素卿，你跟我回去！」

「不！」

舒娜觸電般尖叫。

「我不回去！我死也不回去！」

「你不要大聲，我們上茶樓傾——」

「裕泰你個衰人放手！」舒娜竟然痛恨起來，用炯炯的目光逼視他：「你呃鬼食豆腐？我是住家人，怎比那些阿姑好招呼？她是麻雀仔，心事細。你當我竹織鴨，有心肝。裕泰我死心了，你放手！」

她掙脫。人群正繼續上路，擦身而過。數十米外，已見月台燈光。好像很遠，好像很近。

舒娜大吃一驚。她是誰？他是誰？

她打了個寒噤。有點恍惚。只知她要走，快點走！

男人眼中掠過一抹深沉的烏雲。把一點精光緩緩掩住。但很快，回復了迷人的笑容——他真的長得俊俏，情深款款。他帶點隱忍的堅決，不肯放過她：

「我都送你金鈪陪罪了，當我紙紮下巴？」

「你送我金鈪，卻送她火鑽？問問良心吧！」

「素卿，大庭廣衆，不要嘈。到中環了，我們到九如坊附近的得雲飲茶，今晚去太平看『背解紅羅』吧。」

「我不去！」

舒娜開始掙扎。她是舒娜，不是素卿……。得雲？她忽然記得，這間三十年代著名的茶樓已經停業了。

「來，最後一班車啦——」

舒娜的記憶在混亂中理出一根絲線。早上十時三十分，甚麼最後一班車？到哪兒？舒娜用盡氣力掙扎，她的身心都在戰慄。不！

她奮力推開這個癡纏的男人。一直往前跑了好一陣。急風急火，失魂落魄，跑得氣喘咻咻。——

終於脫離險境了。

擺脫了不知名不知年代不知前因後果的男人！

涼颼颼的，她一驚。是的，沒有男人，但，也沒有任何人。

莫名的恐懼叫她滅頂。

她的頭髮一根根豎起——自己到底走到甚麼地方來？

匆匆一念，不若回頭吧。

對，往回走，走到原處，碰上剛才同車的乘客，一起覓路上地面去。

舒娜掉頭急步往回走。

已經好一陣了。

沉寂、荒涼，一無所有。這是個無窮無盡的黑洞，兩頭俱迷路，她究竟身在何方？

她絕望地站定。迷路！

聽見自己血液流動的聲音。她哭了……。

突然，

嚓——

× × ×

（本報專訊）某年某月某日地鐵故障事件中，一名廿四歲女子，於被困車廂時暈倒，送院後至今昏迷未醒。……

懶魚饞燈

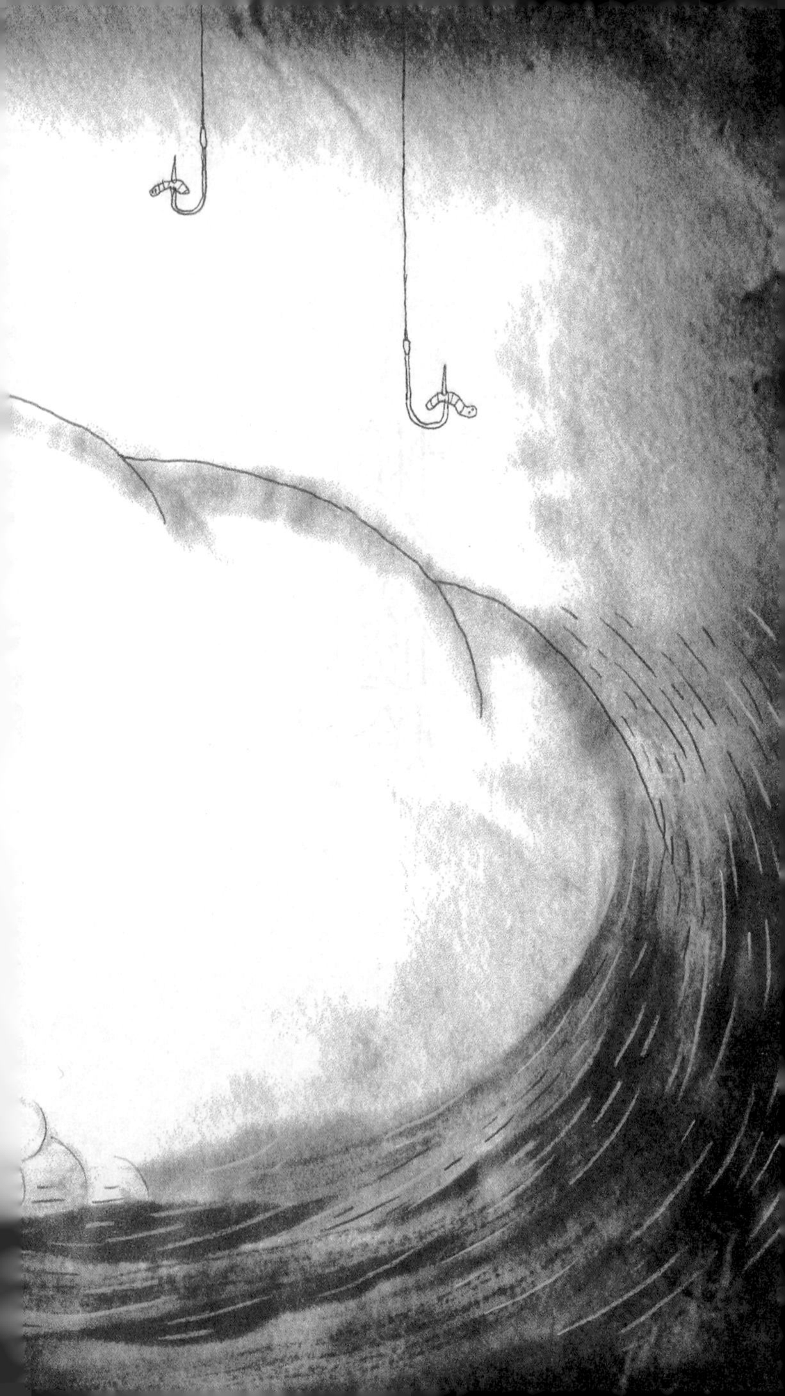

黃安的妻不是人。

這是黃安的寡母，她的婆婆，在米已成炊之後方才知曉的。她的名兒喚銀嬰。

銀嬰最初入門，決計不是如今這副情狀。

當初，她一身細皮白肉，敏感多淚，仿似水造。上身輕軟，下肢嬝娜，擺動時多采多姿。還有一雙美麗的圓眼珠，爍爍閃光。男人見到這樣的素白佳人，莫不垂涎欲滴。

銀嬰是一尾魚。

自她跟了黃安，作歸家娘，以報不啖之恩後，他確曾迷戀過好一陣子。一尾銀魚，簡直是魚水之歡。

銀嬰漸漸入世了。再絕色的美女，一旦無後顧之慮，養尊處優起來，肯定一「發」不可收拾：發胖。

你看她，整個都滾圓肥滿，白肉中幾乎淌下油脂。臉兒紅彤彤粉團似地，俏麗依然，但不再輕盈了。

記得那日初遇——

才四更時分，曙色尚朦朧，官士們已經開始上早朝，馬蹄達達響過京城。不久，敲着木魚，唸着梵經的和尚，也上街「報曉」。

早市熱鬧起來。

店舖都打開了大門，等待做買賣。

京城繁華而規模，單是各式各樣的店舖，已叫人眼花撩亂。有賣頭巾的、腰帶的、絨線的、有賣字畫的、裱褙的、有賣丹砂熟藥的、生藥的、眼藥的，當然少不了吃食。

熬肉、海鮮、蜜餞、饅頭……都有。

黃安是這兒比較獨特之一家。

他與寡母賴以維生的是一手好魚藝。他們不賣活潑的生鮮，而是各種加工魚食製品，遠近馳名。

那魚醬，以好魚破縷切絲去骨，和以調料，藏甕子中，泥密封，勿漏氣。日曝後熟了，再加好酒解之，非常美味。他們也把魚販捎來的小魚醃製作鮓，或風乾。

一尾尾風魚尾朝上頭朝下，掛滿在舖前，不失為城中景致。

——其實黃安最會吃。

他認爲最美味可口的是活魚切片生吃。只有魂斷歸西，難以久擱的魚才作種種加工。用火、用料、用技術，不過因着牠最好吃的階段過去了。

黃安懂魚。他娘親一向以此爲榮。

「黃安哥你早！」阿順又捎來兩大桶的魚了。「一焚香，借點神力，幸一網半滿。」

他檢視魚料。除了慣見的以外，有個木盆子，盛着一尾鮮蹦活跳，一身晶亮閃光的銀魚，無限焦灼地搖頭擺尾。但困囿在一個網中。

「這是甚麼名堂的怪魚？」

「不是怪魚，是好魚。黃安哥，特地捎來與你。看，白肉，上品呀！」對，好吃的魚是白身，通透。刮鱗去臟後，一刀分飛，再切成薄片，蘸醬油活吃——吃時它嫵媚的嘴唇猶在一張一合……。

黃安謝過阿順。

銀魚更加煩躁。尾巴一擰，企圖濺起水花，但使不出力氣。黃安端起木盆子到店舖後進的廚房中，笑道：

「讓你在人間多耽一陣，晚上我……」

銀魚用大眼睛瞪他一下。

當晚，黃安把牠提起，仔細欣賞，牠拚盡力氣扭動，掙扎下地，現出原形來。

她不想他吃了她，惟有施展渾身解數，要吃定他了。

真是色字頭上一把刀。他慌亂得放下屠刀，反引頸以待。

然後黃安娶了她……。

「起來！」他推推這太陽曬得滿房，卻連身子也懶得轉動的妻：「店舖客人多，快出去幫忙。」

日子久了，黃安對她的懶惰忍無可忍。

銀嬰的眼珠子圓瞪着，即使她睡着了，也從不闔上——如此一來，沒有人發覺她仍沉醉在夢鄉裏。

婆婆也不滿：「門不開，店不守，油瓶推倒了也不扶！」

老人家的話日益難聽：

「這麼好吃懶做的妻，白養活她一年。你看你看，連皺眉也懶得費勁。」

除了吃，銀嬰對甚麼也不感興趣。

她不沾店舖中同胞的屍體。最愛吃餅。香炸酥甜的糖餅、薄灑椒鹽的炊餅，還有燒餅、蒸餅，和肉餡兒包子。撐着了還吃。又嗜甜，用生蜜調的烏梅湯、桂花糖。甜得整個人都膩掉了。

鎮日施朱敷白，打扮俊眉俏眼的，豐滿得惹黃安的嫌。

當初愛她，是圖她活潑嬌嬈。

但，那麼懶！家當早晚被她吃光。人家的媳婦料理店務，晚上還挑燈紡織呢。

娘親慫恿兒子：

「横豎來歷不明，說是魚，不如休了她，放逐到水邊便了。也算對得起她，要不終有一天她把你也給吃掉！」

想想也是。魚的肚子填不飽。

銀嬰不知背地有陰謀。

她天真無邪，胸無城府。

說真的倒没不是之處。河海天然，都是天生天養。幾曾聽過魚要作工爲稻粱謀？還不是張口就吃？

化作人身，一時之間改不了習性。對比而言，人類非常不幸，得花盡心思力氣，換來兩餐一宿。稍具名利之心，更加處身戰場刀劍陣，爾虞我詐，你死我活。

銀嬰一生至大成就，是把自己供養得白白胖胖。生命苦短，歡娛有限，理應多作享樂，放開懷抱，方不枉來世上一趟。

她翹着胖屁股一扭一扭的，又掏蜜李子吃了。吃完到市集看百戲。

有算卦先生路過，他們都是會寫字讀書的人，唱道：

「精通周易，善辨六壬。觀天文，明地理。決吉凶，斷福禍。」

一見銀嬰，嘖嘖稱奇：

「時也，運也，命也。這位娘子，是福相，壽命忒長……」

黃安一聽，她長命，我折福！深恐此乃無底深潭。

還是娘親說得對。一日，引領她至水邊，情至義盡道：

「銀嬰，你來自江湖，便回江湖去吧。我等比較營役自苦，高攀不起。添你一口，以爲多雙手作工，可惜見不到實際用處。」

銀嬰淌下滾圓的淚珠：

「我不是陪你睡了？——」

休妻的男人還是休妻。

他順勢一推，她跌身水中。噗通——

一夜夫妻百夜恩。但黃安只覺功德圓滿。互不拖欠。

他回家去了。

過了幾天，阿順又送魚料來。他拈起其一。

「看，有尾胖魚！體態遲鈍，泳術荒疏，癡呆不曉逃生。信手一撈，即可擒獲。原來已遭浪擊，昏死過去。」

黃安認出這懶得逃生的銀魚。

牠比當日所見更肥美更笨重，一身是脂肪。咦？也不是全無用處的呀。

他把其脂膏刮下，煉爲油，正好用來燃燈。

——不過這是一盞怪異的燈。

黃安的友人咸表驚詫，只有他自己心底明白。

是這樣的：每當家中請客，造飲食，或親友喜慶，送上婚嫁禮餅甜食時，這燈饞了，照得分外光明燦爛，芳心躍動。

每當三更作醬作膾，清洗衣物，或婆婆踩動機杼織布時，它不樂意，便懶洋洋，一燈如豆，昏黯不明。

好逸惡勞，死性不改。只願永生永世懶下去……。

母老虎

李逸鴻收到一個來得及時的電話：

「阿李，我鄉下有個親戚，做廚的，他們酒家高價買下一頭小老虎。看你近日開心，不如做東，請我們一嚐全虎宴如何？」

一席才二萬多元，李逸鴻正在興頭，當然答應。

香港近日失車數字穩步上升，每年失去的五千輛汽車中，大部份自偷車賊、走私客手中，運送到中國大陸官民勾結的集團，永遠無法尋回。

當他與食家老友一行十人，自深圳過關，坐上安排好的旅遊車往酒家駛去時，多麼慶幸他的平治已險險被尋獲，而不是「似曾相識」地在祖國社會主義燦爛的大道上飛馳，與之擦身而過。

全靠那二百多萬的法拉利。

若非失主上電視大聲疾呼，警方順勢一舉出擊，他的平治能在離鄉別井邊緣給找得到？——交關好運！他同病相憐的老友，一邊恭喜他，一邊痛心自己的寶馬，而皇冠牌肯定凶多吉少的。表叔們最愛皇冠牌。

你說李逸鴻這一頓怎麼省得了？

這批嗜食野味的男人，平日也常組團北上，甚麼蛇蟲鼠蟻都嚐。「全虎宴」？倒是第一遭。

一來，吃老虎尚屬違法。二來，老虎得來不易。

因是貴客，酒家是晚停業，騰出來設宴。一眾慇懃招待來自香港的大富豪。

十多道菜式，全以那頭小虎作主角。扒虎肉、炸虎柳、燒虎串、烹虎膽、炆虎腩、炒虎肝、熬虎湯……。

「各位老細，」末了個體户老闆陳三一臉神秘的諂笑：「這是罐燜虎鞭，非常滋補！」

每人一小盅。

李逸鴻一時高興，便道：

「菜做得不錯。那張虎皮，就送你吧。」

陳三歎：

「唉，虎皮本是值錢貨，但這一張——」

原來這頭小老虎，是失足跌入農民的陷阱中，爲箭矛利器所傷，全身扎滿洞，奄奄一息。酒家有客路，先高價買入，但小虎只能活數天，挨不下去，只好急凍處置，結得冰硬。到貴客來齊，解凍烹調，那皮並不怎麼好了。

「小虎又怎會跌入陷阱呢？」

「對，廣東一向不見虎蹤。」

座上食客嚐了鮮，便於酒酣耳熱際問來歷。

「這是北方來的。」陳三解釋：「估計北方下雪，小虎體弱頂不住寒冷，且冰天雪地覓食不易，母虎愛子，才帶着南下過冬。」

原來如此。

李逸鴻用餐巾擦擦嘴角的紅油，打了一個飽嗝：「牠來找食物，誰知跑進我們肚子中。真正搵食艱難！」

大伙溫暖舒心地舉杯，吃喝得油光滿臉，一道熱流直通五內。他用舌頭剔着牙縫。發出「嘖嘖」之聲。非常歡愉的感覺，躊躇滿志。

吃真是好！

今天氣溫才十度，入夜更低。

一桌都是老虎的骨頭。痛快！有幾個，吃罷便提車回去，大概家有惡妻。

李逸鴻喝多了，臉燒紅一點，腦袋半昏，話兒也稠了。正是飽暖思淫慾，早有預謀，家中那位不是老虎乸，他常北上「公幹」，也聰慧地不多追問。

留下來的有三位。

酒肉朋友都心照不宣。

陳三最知港客心意。車子駛往一間新開張不久的四星級酒店。——它沒深圳那麼複雜，也不似廣州抓得緊。他保證：

「没有公安來找麻煩。」

李逸鴻的損友老張附耳：

「聽説很多個體户老闆，也兼任龜公，肯出錢，你要他老婆，都有商量。」

「改革開放嘛。」

老黃問：

「老李，你要怎麼樣的女人，跟我親戚說。多苛刻的要求都辦到。」

李逸鴻呵呵一笑：

「我對他老婆没興趣！」

那陳三，搓搓手，只當聽不清楚，賠着笑：「老細們，我有分數的。小姐都很高檔，也乾淨，放心。」

「好。」李逸鴻回身叮囑他：「我要個『説國語』的，要大紅燈籠高高掛，不要本地菜。」

「北女呀？」陳東道：「有是有，不過北女略貴一點。」

「没問題。」李逸鴻笑：「最緊要有明星相！」

——廣東女人就只似他老婆，瘦小，黃臉，哪有北地胭脂味道？他要十大性感女星之首。這是香港老中青男人的慾望。李逸鴻相信他的要求極具代表性。車子找回了，全虎宴又嚐過了，再來個北女……，世事就甭管啦。

帝王也不過如此。

那虎鞭得找個去處。

你搞香港人的車子，香港人上來搞你的女人，不過一個「搞」字，連革命也是搞。

進來的女人，不大像他要求的，但卻另有一番丰姿。

她很白，妝化得艷麗，故而大紅大白。一望而知是北方人。不是上海天津等大城市，帶點泥土味。略爲羞澀冷淡，因爲笑容少的關係——李逸鴻更愜意，這可以顯示她入行不久，還未熟習展覽歡顏。

女人眼睛有點吊梢，更俏。灼亮灼亮，朝他一睞，只覺是夜車前頭雙燈閃閃。微紅而神秘。

李逸鴻一意搞革命去。

女人趦趄一下，把心一橫。

她的身體在燈下幽亮發藍，脱去衣服，他只能：「啊！」地驚歎。

背部的肌肉甚不寧靜，扭動矯健而且炫麗，一個奇特漂亮的背部。她先在燈下研究自己的影子。

李逸鴻一股熱流按捺不住。急於征服。

「啪！」她把燈關了。半晌才回過頭來。

牙齒白森森的，特別亮。表情橫蠻古怪。看似風騷。

他把她按倒在床上。埋頭就要衝刺，早着先鞭，虎虎生風……。

「哎——」

「呀——」

「救命——」

「不——」

「嘩——」

「吓——」

……

慘叫震動了酒店。損友們都覺玩得太過份了。像搏鬥。

後來，李逸鴻落荒而逃，衝出門來。大伙一見他挺個大肚子赤身露體，卻是血痕斑斕，大吃一驚。——不是抓的，便是咬的。最深那道口子，血如泉湧，簡直一身掛彩。

他慌亂得說不出話來，舌頭發脹，喘着氣。那雞……忽然……發狂……瘋了……。

此事必然驚動派出所。

李逸鴻住院兩天，敷過藥，便得面對氣燄高張的官們。

沒有人同情他。

是嫖妓弄的。一定是需索無良荒淫無道，拿人不當人。自己都傷成這個樣子，那雞，不知如何慘重了。也許不堪淫虐蹂躪，方出手吧。……

妓女跑了，嫖客自投法網，既承認了嫖妓，便罰款五千元。這還不止。

「先生，同志，阿SIR——」李逸鴻望着他的回鄉證。上面給蓋了印：「別的地方不過蓋『嫖客』，爲甚麼你們給蓋上『大淫蟲』？這不大好吧？可否高抬貴手改一改？」

「各處鄉村各處例！」

公安們對他非常鄙視。鼎力「除七害」。

李逸鴻因業務關係，不時要到祖國去公幹，太不好看了，遂報失回鄉證。補領。不過補領新的，翻查紀錄後，還是給蓋上「大淫蟲」的印以儆效尤。此乃難以磨滅的記認。

這還不止。

他小便刺疼，且流出黃色稠稠的黏液，後患至今未癒。

真倒霉！不過吃頓飯，搞出忒大鑊。都不知撞了甚麼邪！

——他一定忘記了。在慌亂地衝出房門，人聲鼎沸，發現他的狼狽時，身後那昏黯的空間，傳來一下低低虎嘯，一如躲在林子裏，月下的嗚咽。

也許是慘笑。很難聽，大仇得報又如何？唉。

殺人一萬，自損三千。

她後悔南來一趟，賠了兒子又賠了自己。

——原本打算，挨過了冬天，春回大地後，她們便回家去的……。

八十七神仙壁

北宋年間，洛陽城北邙山一座破舊的古廟前，來了一批官府中人。

此廟在前朝，香火曾經鼎盛。經過歲月，牆壁坍頹，神像的金身已告剝落，壁上的畫，面目模糊。

不過廟外幾株蒼老的松樹可以見證，這冷落蕭瑟的寺廟，一度客來客往，爲了欣賞壁上那五聖千官八十八神仙的行列。相傳是吳道子的真跡。

就連杜甫，也題詩稱頌：「森羅移地軸，妙絕動宮牆。五聖聯龍袞，千官列雁行。冕旒俱秀發，旌旗盡飛揚。」

時間是無情的。

多麼烜赫的作品，顏色褪去，建築崩塌。難以好好留存。

至於是誰的遺跡，也無從稽考了。一般老百姓，不問情由，還是希望出自高人手筆。

他們好事地圍睹。

官差趕人：

「站開些！站開些！此廟三日內封閉，因官府決意重修。壁畫重繪，此舊牆將拆掉……」

「哎，好可惜呀！都砸爛。」

「難道拎回去保存麼？誰會買下一道牆壁？」

老百姓都在營營耳語。

「即便富商巨賈，也只不過選取較完整一角作個紀念吧。」

「東壁那麼大，西壁也那麼大！」

「——有甚麼會得比填飽肚子重要呢？」

結論總是這樣。

眼看文物快將不保，變成頹垣，惋歎也無用。

忽地人叢中鑽出一個素色長袍，面相清奇的老人，年約六十，白髮紅顏。身畔隨同一少年，未及弱冠，似是弟子。

老人相當陌生，不是本地人，不知來自何處。他排眾而出，道：

「各位大人，我願傾盡所有，以三百千得之，尚祈成全。他日當重繪此畫，不收分文。」

買賣當然成交。

一夜之間，老人和少年，許是請了幫手，或不知用了甚麼方法，把那兩面殘破的牆壁，主要是壁上的畫，都搬走了。

淺紫色的曙光和淡淡的晨霧交融，流筆點染了山水。明星已墮。

「阿元！阿元！」

老人喚醒了少年：

「我們開始吧。」

這是在深山幽谷之中的一座竹籬茅舍，老人隱居於此，久已逍遙自在不問世事。——也許是等待一個機緣。

他把阿元收爲弟子也是機緣。

阿元是孤兒。只在市集幫閒維生。有時在蹴鞠的園子外，給踢氣球競技或比賽的富人喝采打氣，討賞。

他天性愛繪畫，沒錢時以燒焦了的枝子在泥土地上畫鐵線畫。存點小錢，買幾張紙臨摹。某日老人偶遇他在畫驢，便拈鬚一笑：

「小伙子有天份。但欠點神，讓我添你幾筆吧。」

老人自籃子中取出色筆，添動幾下，果然那驢栩栩如生，似在呼呼噴氣。老人忽地飛快以硃砂一點右眼，阿元來不及一看，那頭毛驢，竟破紙而出，逃得無影無蹤。

阿元愣住，抬頭見老人，知非凡。只覺與他親，也不問底細，慌忙恭敬下跪：

「以後請師父教我！」

老人無姓，他只道他忘了。隱士俱無前塵。阿元只晨昏盡弟子禮，潛心習藝。

今天他起晚了，主要是昨宵把一塊一塊的無故出現在門外的破壁砌好。搬抬得渾身痠疼。睡不到兩個時辰，師父已精神奕奕地準備動工了。

阿元也興奮地爬起來，聽從師父囑咐。

「我先把壁畫摹成紙稿送你。待得寺廟重修，便讓之重現。」

——這看來是一項艱巨的工程。

畫中共八十八位神仙。

乃道教的帝君(東華和南極帝君，頭上有圓光)前往朝謁天上最高統治者之隊仗行列。他們居中，領着真人、仙伯、金童、玉女及部從、神將……，全體人物作節奏前進。雖是前朝故作，但衣紋稠密重疊、旌幡衣帶當風飄揚，看上去總有在空中徐徐而行之錯覺。群仙頭飾裙裾，手中所持儀仗，儀態身姿，豐滿華麗。帝君莊嚴，神將威武……。

阿元見老人非常熟練地打好草稿，技藝之高，他目瞪口呆，在旁只有侍候的份兒。

但阿元天性聰穎，而且苦心孤詣，因此很快便掌握到鐵線描的要訣。

神仙都工筆細描。潛心繪畫，何時方可完成？

老人從容而道：

「觀畫，少言。」

阿元日夜對着神仙圖卷，與畫中人同遊共息。

真美！

看上千遍都不厭。咦，有一個最美……

從老人口中，他又知道更多吳道子的故事。他是畫聖，愛畫者都尊崇這天人。在前朝日子，他畫「地獄變相」、「送子天王」……。他在橋旁土屋壁上畫了一百匹駿馬，破壁而去。他畫佛像頂上圓光，以肘爲支，揮臂一畫，渾然天成。他把三百里嘉陵江山水盡收肚內，一日之間爲玄宗宮中大同殿上重現風光。皇上愛才，下令「非有詔不得畫」。他夜畫「鍾馗捉鬼」。他躍入山水大畫中，遨遊洞府不思歸，人皆以爲仙去……。

阿元整個人浸淫在此，不知年日。

畫稿亦已完成。

他心中一直有一疑團，忍不住：

「師父你是誰？」

老人不答。只提前事。

「一日我曾告你，要畫活，可用硃砂點其右眼。記得嗎？」

阿元一想，便問：

「若要進畫中一遊，又該如何？」

「這個——」老人沉吟一下，欲言又止。終於他閉目養神，像是聽不真切，任從阿元侍立，不得要領。阿元知孟浪。

山野開始黯下來。孤星在眨着眼，頑皮而寂寞。是夜無月。老人拍拍阿元的肩頭：

「阿元，你已學吳生筆，盡得其閒麗之態，我把重繪壁畫的重任交託予你，望你花盡心力，使之流傳。我明日將作別人間。載壁乘舟，沉之洛河。」

次日，老人與破壁，悉數失卻蹤影。

阿元面對迤邐之神仙圖卷，不勝欷歔。

他着實後悔。

爲甚麼忍不住追問師父是誰？讓這疑團永置心中，真真假假，虛虛實實，是是非非，何須知得太清楚？

阿元一定要完成重任，方對得住執手相教傳藝的老人。

寺廟修好，牆壁一片空白。阿元終日不發一言，把前朝瑰寶重現人前。

每完成一個，就認着他們：

「威武神王。天丁力士。妙行真人。西靈玉童。太清仙伯。太丹玉女。開明童子。梵氣彌羅玉女。斬魔神慧金童。紫華扶神玉女。太極丹華金童。夜靈玄妙玉女。……金童。……玉女。……金童。……玉女。」

他嘔心瀝血，花上三年。

青蔥的日子，便與他們度過。——

不是他們，是她！

她，濃黑的秀髮盤了望仙髻，臉龐秀潤，天真嫵媚。站在東華天帝君的附近，回過頭來，顧盼生姿。向人間散着五色鮮花……。

阿元愛上了其中一個神仙了。

他畫她時特別仔細，特別莊重。——她不是他創造的，但他令她重生。

她的衣帶彷如拂到他身上心上來。

阿元沉思了一夜。

他五內有種渴求，也有種惶惑……。

當風飄揚的衣帶……。

爲甚麼是這個？爲甚麼不是那個？

八十八個之中，爲甚麼偏生是這個？

淺薄無知的人，只能被機緣牽引，生世都沒能力知悉真相。

天亮了。

阿元不辭而別。

官府中人來檢視大功告成的壁畫。遠近的畫工和文人雅士也來了，嘖嘖稱奇，太美了！——奇怪，他們數……八十五、八十六、八十七。只得八十七位神仙?再數一遍：

八十五、

八十六、

八十七。

是八十七！

流傳至今，是一點神秘的失真吧?

木乃伊

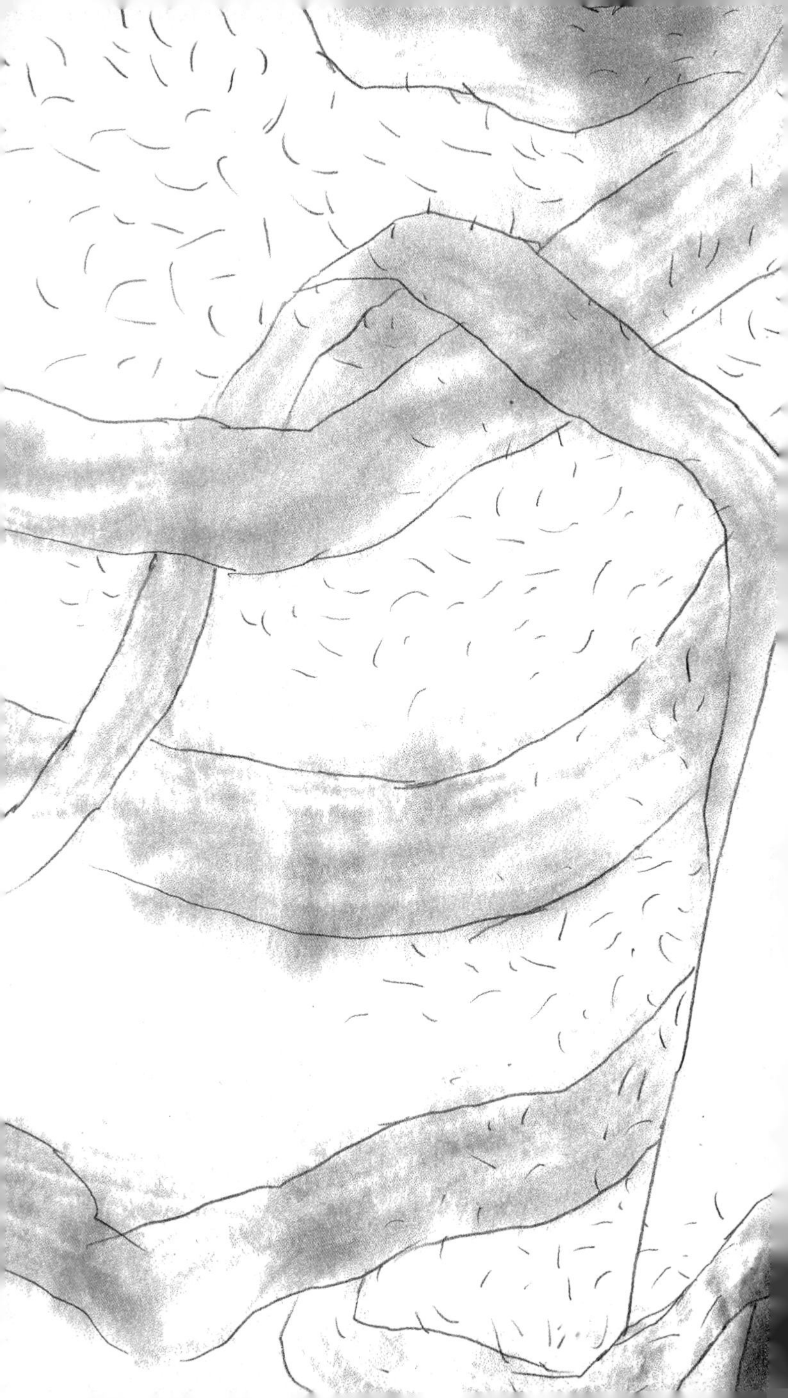

「**完**了完了！真是豈有此理！」

家玲還在浴室中享受青蘋果浴油的香氣時，聽得金龜子在廳中直嚷。

他打開了盛載紀念品的袋子。一個月以來，在埃及遊蕩，買下一大堆，甚麼掛碟、木頭女皇像、紙鎮、石刻小金字塔……等。咦？全碎了！

還有三幅「巴巴拉斯」，那是色彩妍麗，古意盎然的手繪畫，全乃帝王墳墓內壁畫之仿製品：鷹頭的神、射箭的王子、妖嬈的女侍。——這三幅蘆葦紙畫也裂了，好像被甚麼東西抓過一樣。

只有那木乃伊，看來無恙。

家玲恨恨：

「都不知道是開羅的機場，還是啓德？多半是開羅。看——」

天，阿歷山大、開羅、基薩、曼菲斯、樂蜀、雅士雲、阿布士堡……，家玲的回憶碎裂了。

難過得眼睛紅起來。

金龜子畢竟是男子漢，氣過了，便安慰：

「算了，下次去再買。」

「今生今世都不再去！」家玲道：「下次去東京、巴黎，要不回紐約。美麗先進的地方。沙漠，哼，若穿露臍裝上街，三秒鐘，肚臍便被沙粒填平了！」

含辛茹苦，連紀念品也全報銷。

「幸好剩有一件最寶貴的！」

他忙把那「嬰兒木乃伊」拈起。

常人不會有興趣買一具木乃伊做紀念品。但他不同。紐約自然史博物館中，標本製作部門的一員。即使在大都會中不見經傳，但他的工作卻是有趣而偉大的：用各樣方法剝製魚或哺乳類動物的骨骼，製成標本。

二人在紐約相識，第一次吃晚飯，他在飯桌上簡介工作。全桌六個人，均食不下嚥。

「有一次，當我們打開從非洲運來的一個箱子時，發覺裏頭動物的屍體，僅剩下分離的骨骼與皮毛，原來箱子無意中被雜有當地產的金龜子，嚙食徹底，連小頭蓋骨裏的肌肉也啃得一乾二淨……。」

後來，他們館內便設專門角落飼養金龜子。而家玲給他改了這個綽號，至今四年。

——門鈴忽地響了。

隔壁林太太送回寄居她家一個月的貓。

「回來啦，吃得慣嗎？據説都是羊肉。」

一般婦人對旅行最關心的，便是有沒有中華料理。家玲不想解釋無妄之災，只敷衍着：

「不錯呀，是羊肉餡餅、酸瓜、酸乳酪、辣豆和碎菜。」

「吓？」她驚呼：「連阿花吃得都比你們好。」

阿花回到自己家園，開始活潑。

一地是碎裂的紀念品，它用爪子撥弄，無限興奮。跳上沙發，忽地，對着木乃伊目瞪口呆。

家玲把木乃伊放在書桌上。不放心，末了再用一個膠袋袋好。——只因碩果僅存。

這是在金字塔下某一條小巷中買的。

午間花上三百巴士達買票，彎腰曲背攀上缺氧又昏黑的金字塔，只見餘一石棺，已演變成尿缸，臊臭之極。大勢已去。

晚上在廣場看SOUND AND LIGHT SHOW。完場時已是九時多，他們挽手沿小巷散步。四千年歷史，世界八大奇景，二百三十萬塊兩噸半重的巨石……。一切都比不上狹小而豐足的二人世界。

「先生，先生，木乃伊？真真正正的木乃伊！」

一個穿淺灰色長袍的阿拉伯人，抱着小小的物體，如一團幽靈，在月夜招手。

金龜子被吸引住，一怔。家玲只得尾隨進入那店子。長袍怪煞有介事：

「嬰兒。是貴族。先解剖屍體，取出內臟和腦髓。然後浸在藥水中，溶去油膏，泡掉表皮。七十天後，把屍體取出晾乾，鹽醃。腔內填入香料木屑，外面塗上樹脂，用二十層亞麻布嚴密包裹……。」

金龜子是會家子，對屍體的研究素有心得，當下就燈光細細端詳一番，如同入魔。

家玲不感興趣。小小的木棺，上面有些鮮艷色彩，圖畫不知是人是獸。放置頭部的一端，有一隻「魔眼」，雖然很簡單，但卻很媚惑。木棺崩了一角，藉此依稀看到裏頭有個「東西」，纏着亞麻布，略呈灰黑色。

金龜子花了一百美元買下來。

「我才不信是真的。如果裏頭塞個枕頭，不見得買主肯打破木棺扯開亞麻布來叫之圖窮匕現。八百港元一個枕頭多貴！」

「我有專業的靈感！」

如今此物躺在書桌。靜待金龜子四天後帶回紐約去。家玲嘟嘟囔囔，還不是妥協？男朋友快要離開，對他好也來不及。

晚上，把阿花摒於房門外。

午夜，傳來一些噪音：——

牠在沙發上打滾。用爪抓桌椅。跳來跳去。而且發出比平時悽厲的嘶叫，鬥志高昂似地。怕牠搗亂，家玲想起來一看。

金龜子笑：「你的貓在發情。」

她不理他。

扭亮廳中小燈，赫見阿花的尾巴上翹，渾身的毛豎起，不知這情狀是悲是喜是樂是怒。

桌上的膠袋遭抓個稀爛，木乃伊碰跌在地。

當下她飛撲搶救，仔細一看，還很結實，並無肝腦塗地之狀。

幸好金龜子没發覺親愛的木乃伊有甚麼差池。

送他上機後，家玲如常到圖書館上班。

假期過去了。

夏天過去了。

一雨攜來秋意。她寂寞，所以更愛貓。

才數月，家玲覺察阿花變了——牠食量大增，毛色光澤，動作緩慢，常伸長四肢慵懶大睡，一睡不起……。

家玲想給男朋友打電話閒話家常：

「阿花懷孕了。隔壁林太太又說管教甚嚴，一月來没讓勾搭過。莫名其妙，父親是誰呢？……」

想着，她迄自失笑。貓是不計較名份的呀。電話一直没人接聽，有點納悶。

兩天都找不到人。忙甚麼？

忽地FAX機嬝娜娉婷地吐出他的話：「……記得那木乃伊嗎？這兩天我們爲它照X光和研究。因爲我跟本部門的同事打賭。是不是『真正』的。結果我贏了——險勝！」

措辭甚興奮。如作報告：

「那是真的！不過不是嬰兒，研究結果，是貓。三千年前古埃及人視貓爲聖物，不但供奉其像在廟宇中齊齊膜拜，給它佩戴珠寶飾物，以示尊崇，死後還製成木乃伊，享受隆重葬禮……」

家玲拈着信，腦中轟然一響。

那木乃伊，是，一頭，三千年的貓！

——她明白了。

望着阿花，隆起的肚皮。

她心愛的阿花，冥冥中，因緣際會，負上爲一頭寂寞了三千年的聖貓傳宗接代的任務。

FAX機功德圓滿地傳了話。發出完結的訊號。

「咪噢——」阿花嬌慵地醒過來，回首望望家玲。一間屋子，一個人，一隻貓——不，兩隻貓，不，三隻貓！

家玲毛骨悚然。

她這邊才開始呢……

毛大帝

老人剛欣賞完電視廣播上的中東開戰片段。炮彈在半空迸爆，燦爛如煙花，如血。只有在開國大典時見過的，才算有得比擬。

老百姓竟十分留意戰局。身經百戰的中國人，對局外的烽煙還是有種與生俱來的關注——像在找尋比自身更不幸的人。

雜誌固然搶手，連王府井南口的電腦新聞大屏幕也圍滿駐足的人。竟有熱血青年到大使館外要求參戰，攻打伊拉克。奇怪，是要發洩點甚麼嗎？

爲免美國在中國人眼中表現得太强大，不一陣，當局已指示官方傳媒低調報道波斯灣戰爭了。正邪不兩立，忠奸太分明——老百姓比較天真哪。所以搞封鎖還是有理的。

老人想：「革命無罪，造反有理。」

他上了一輛往西走的長途公車。也沒甚麼目的。反正他從來不曾自由自在地逛過街。

「哎，這個戰呀，好厲害。」一個乘客向他搭訕：「都是高科技，甚麼F十五戰鷹，甚麼愛國者導彈，還有B五二轟炸機。了不起，聯軍戰機每分鐘出動一架次，那要花上多少錢呀？說是一天用五到十億美元……」

聽見他滔滔地說下去，老人只道：

「殺人遊戲，代價可高昂。這個錢用來建設國家嘛——」

「千萬桶的原油也給倒進海裏呢，這侯賽因可算是一代梟雄了。」司機幫腔。

老人有點不悅：

「據説這小子還研讀毛選呢，消化不了，就怕『搬起石頭砸自己的腳』。」

「老爺子，」乘客興致勃勃：「這幾天的報道又沒精神了。你可打聽過怎麼個情況？」

「説是領導有令，不要那麼起勁。」

「遠着呢，那能有甚麼？」

老人冷冷道：

「就是近的，不也趁機降溫麼？反正國家有國家的規矩。」

司機一聽，明白他們指的是中級人民法院公佈八名民運分子的秘密審訊判決。他當然知道是怎麼一回事。公安還封鎖了該區兩小時半，以便法庭開庭宣判呢。王丹判了個四年，還有一批，五七年不等……。

基於警覺，也是身爲老百姓一種天賦的演技，摸不清底，誰知這老爺子是誰?於是：

「哦，就是『動亂』的那回事。判了。」

公車司機只埋首蹬油門。

「反革命分子，你不打，他就不倒。這也和掃地一樣，掃帚不到，灰塵照例不會自己跑掉。」老人理直氣壯。

車上各人一凜，從此緘默不言。

這年頭，喝水也要防塞牙。小心爲上。

忽地老人眼前一亮。

他見到一張畫像。

在車頭玻璃上。

他認得「他」。問：

「司機同志，噯，你怎麼掛上毛主席的像呢？」

「都掛上啦。」司機朝前看，一邊回答：「出租車、長途車、小攤檔，還有建築工地，都有。」

老人帶點迷濛的意外的喜悅：

「怎麼回事？」

「保平安嘛。」他道：「掛上後，開車沒出過事，連警察也不來查牌罰款了。」

一個女人也很熱心地加上她的意見：

「我家娃娃病了好幾天，給畫像禱告，她就好了。」

一時間，大伙又找到共通的話題：

「是呀，那回學生甚麼的，不是有人給天安門城樓的畫像潑上墨水嗎？他老人家不高興，平地就起了狂風，昏天黑地。」

「我鄉下的娘管跟人家喊他『毛大帝』！」

老人不動聲色：

「這不是搞封建迷信麼？都是四舊啦。」

「不哪，老爺子，毛主席還是靈的，他成了神了。」

「過年貼在門上還能辟邪呢。」

「真的？」

「不過倒是越賣越貴了。」

「標上十多塊錢一張。」

「吓？」老人一聽，傻了：「十多塊錢一張？」

「還沒貨呢。」

大家你一言我一語，興高采烈地交換拜祭神靈的心得。

老人沾沾自喜地微笑。下頦的一個痣也抖起來。

才不過十多廿年光景，就升仙變神了。真不簡單。當然，他具文才通武略，他一手建國，受到十億人的崇拜，經歷無數風波鬥爭，屹立不倒。他是偉大的領袖，這還不止，敬畏他的群衆，喊他「毛大帝」！

第一次，是他把自己捧上去的，踩着身邊所有人的血肉骷髏，他封神了。

但第二次，卻是死後的餘威，措手不及地，被捧上去了。完全經得起考驗吧。

——當然是他的威望無人能及。前無古人，後無來者。後來者不成器，數來數去，數來數去，還是他！

啊，就連學着皮毛的梟雄侯賽因，也不過是他孫子。他沒他硬！

老人眼睛閃着紅光，灼亮而嚮往。

「不朽」！若中國是個大戲台，人人都是戲子，則拔尖的角兒只得一個，供舉國戀父狂的老百姓供奉。

——他們竟認不出自己來。

正沉醉着，肚子疼起來。

捨不得走，不過得趕忙在中途一個站下車。

一帶是相當貧瘠的農村。

肚子疼。待要三反五反。

往前走，找個地方解決。

「同志，」他喊住一個農民：「有茅坑吧？」

那是個非常憨厚的老農民。臉孔黧黑，老實巴巴地種了一輩子田的莊稼漢，正指點着。乍見老人，那飽經憂患的昏花眼睛一怔：

「你——？」

老人已蹣跚往前急走了。

農民自語，近乎呻吟：

「哈，我胡塗了。挺像呢——毛大帝？」

他轉頭，找不着老人。

一早已蹲到茅坑裏。

左右没擋板，下面是大糞池。黑褐色的土牆又腺又臭，又濕又黏。蛆和蜘蛛都交上了朋友。

革命革了幾十年，還是老樣子。

「上廁所爲甚麼要坐着？那麼舒服幹嗎？太舒服了，有工夫胡思亂想，會出修正主義。」他曾道。

——這是全國至今仍未流行坐式馬桶的淵源。

老人蹲着，良久。

他很久沒大便了。

他一生都在爲大便而奮鬥。

天賦他那麼尊貴、偉大、傲岸、頑強、自信、霸道、風流，天賦他有指揮若定的魄力，和匪夷所思的觀衆緣。——但他總是不能像一個普通人，痛快地大便。

武裝半天還是不成。

他生平就因不能正常大便，煩躁發愁。它乾、硬、沉鬱，如一肚子鐵鏈子，立場堅定，寧死不降，把心一橫，拒絕出頭。

在中南海，這令天地變色，生靈塗炭的最紅最紅的紅太陽，往往每隔一星期，便由十七八歲俊俏的小伙子，他的貼身衛士，以膠皮管子注入肥皂溶液或甘油，爲他灌腸，必須如此，才通一次。搞不好，得一點一點爲他摳出來。……

「下定決心，不怕犧牲，排除萬難，去爭取勝利！」

啊還是不成。這樣的小事也……

木門咿呀一響，來了剛才那個卑微的老農民，他看不見他。只把褲子一脫，人一蹲，一鼓作氣——叭啦叭啦的，他就大鳴大放了，如同把肚子裏頭的牛鬼蛇神給攆走，掃地出門。

看他的表情：痛快、狠辣、銷魂！

末了撿塊破瓦片往屁股一揩。大功告成。

真是福氣！好不羨慕。

——誰能想到，神，即便是神，也有他的煩惱。此刻只願拋棄一切榮譽、名位、策略、主義、鬥爭、革命、他理想中的新中國……，當個普通人。說甚麼：

「鍾山風雨起蒼黃，
百萬雄師過大江，
虎踞龍蟠今勝昔，
天翻地覆慨而慷。
宜將剩勇追窮寇，
不可沽名學霸王。
天若有情天亦老，
人間正道是滄桑。」

如此波瀾壯闊，血流成河？

——他只落寞而悽愴地，如他生前，不爲人知地，一直蹲着……。

含蟬

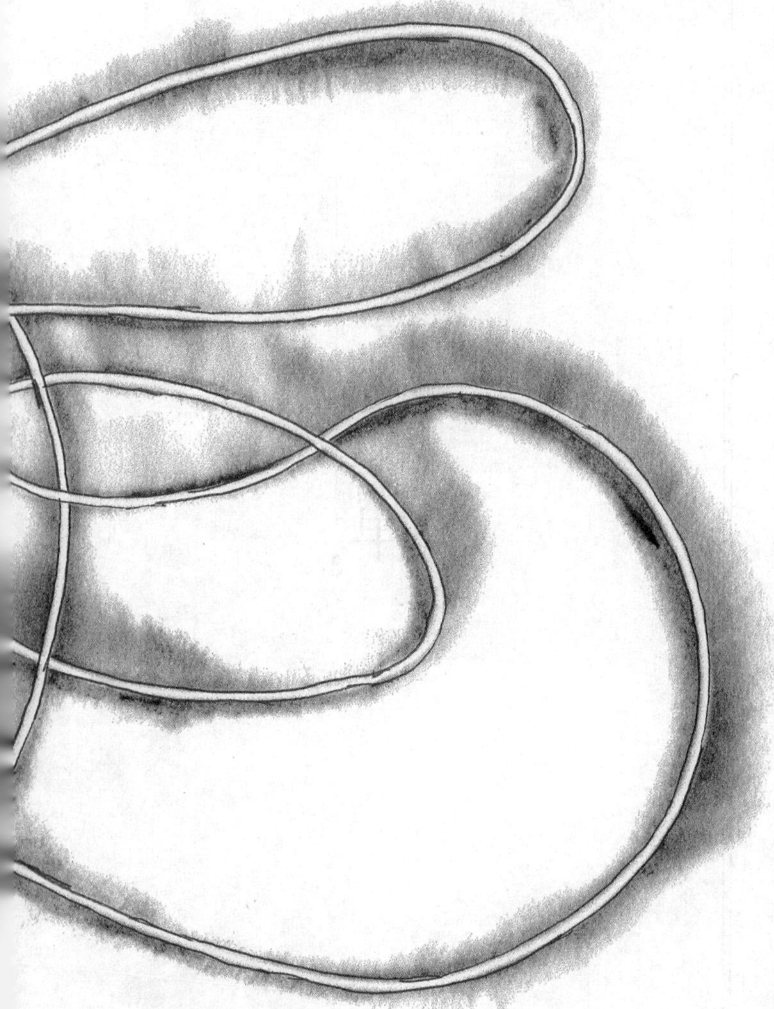

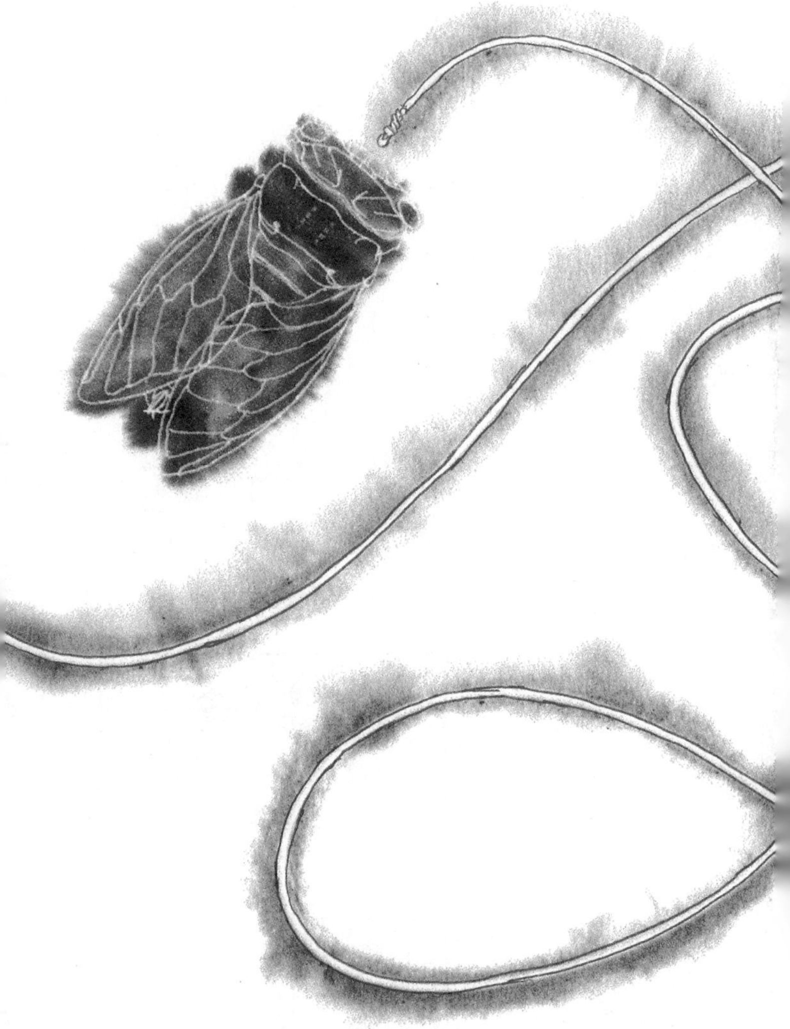

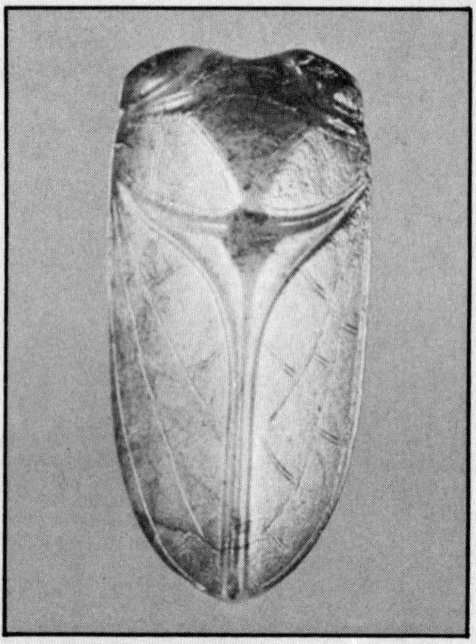

一

知道香港有大酒店接受一九九七年六月三十日那晚的房間預訂計劃，梁儉馬上去報名。特惠房租是一九九七元，相當值回票價。

他也捨不得親愛的香港，畢竟是他的出身寶地。但他自小已習慣逃難，賈其餘勇再次避秦。當晚，香港旗滑落，英國國旗撤走，他來看上最後一眼，便安份認命到異鄉渡其餘生。

加拿大的屋子早已買好。

移民手續又已辦妥。

妻和兒子下星期落腳。

是晚老友們約了餞行。正要上舖，來了個衣着樸素的女人，臉色蒼白，略帶病容，像正在萎謝的花——卻在强撐着。

她及時趕到：

「梁先生。等一等——」

「甚麼事？」梁太太狐疑地看住她：「你們認識嗎？」

太巧了吧？自己前腳未邁出門，忽地來了個陌生異性。直呼丈夫的姓。

「不，」女人慌張地解釋：「只是有朋友介紹我來你們店子。」

梁儉連忙招呼：

「有何指教？想要些甚麼？」

轉身向妻子示意：

「我做完這單生意才上舖。不如你先去，在八樓玉蘭廳，說我馬上來。」

她趦趄着，終不願先去。

女人有點心焦，忙把一塊玉遞上。

「這是我家傳貴重的玉，想在你店裏寄賣，或你看看值多少？」

末了她細了聲音：

「若非大限，等錢用，也不會……」

梁儉拎上手。

一看，是隻面目模糊的蟬。

玉蟬是含玉。

但他不動聲色：

「坊間也見玉蟬，多是舊玉新工，看你這塊，不錯是白玉，也古，但有點枯槁，且不大見色。」

他着女人留下聯絡電話待估價。

女人歎一口氣：

「梁先生，電話不方便，我三天後再來吧。——唉，只因等錢用。」

不打話便走了。

梁儉才喜形於色。

「這可能是店裏最貴重的一塊古玉。白玉是玉中上品。」他交給妻子：「我也不賣，你帶去傍身。——不過也許日後在外國拍賣得好價錢。」

妻對其本性了然，一切都逃不過他鐵算盤。

她知道他一定鼓其如簧之舌，壓低價錢，付個二三萬元，據爲己有。——問題是女人楚楚可憐，他可能多給一點，不過也不盡然，她不是有移民之意嗎？男人才不肯多花冤枉錢。

「給他三萬五也值。」他自語。

哼，果然寬鬆了！

梁太太有點不悅。

但他說這值得便是值得。

梁儉五十四歲。大半生都是自己一手鋪排，過得在意料之中。首先他恪守父親賜予的名兒，克勤克儉，任勞任怨。原是個古玩店的小職員，等於是在包食宿兼晚上看鋪的制度下成長的學徒了。但梁儉非常有遠見有計劃。到他把店裏玩藝竅門學得差不多了，按步就班，便也自立門户，娶妻生子。

妻子中學畢業，略懂英語，可以應付洋顧客，公一份婆一份，依時間表辦事。

他們靠古玉「加工」起家。

最初，來貨由相熟的友人自中國大陸帶來。改革開放之時，民間忽然湧出大量藏品，賤價批發，當然，真真假假都有。——即使是假的，也太便宜了。何況間中遇上寶貝，後來他們索性自行採購。不必回佣。

根據他的經驗，玉各有色，而色各有因緣。墓中有石灰浸蝕，玉是桃花色。棺木爲銅製，把葬玉滲成鸚哥綠。棗紅色的，當受屍血所潤。還有褐色、黑色、粉色、青色……。只要瞭解它「根據」甚麼原理而成色，便可科學化地做手腳加工加色了。

在這方面，梁儉頭腦靈活。他甚至有一份詳盡的研究心得，加以遵循。十多年下來，他的身型膨脹，肚滿腸肥，臉上也泛了油潤——好似一塊「拋光」的玉。

——不過，還得花一筆冤枉的血汗錢到外國重頭來過。

席間只談些身外事：

「梁太太，你是會家子，何以不大喜歡佩玉？」

真的，她有二三十件玉鐲、玉墜、玉環、戒指，但她很少佩在身上。假的反而不拘。

「你們有所不知了。真的古玉，色水好的，必定由屍汁浸成，紅黃藍綠，佩戴上身很肉麻。——真要挑，還是素色無雜滲。」

晚飯時她把那玉蟬拎出來招搖。

「這是塊舌頭嗎？」黃太太問。

「不。」梁太太指點着：「這是蟬。爲了闢邪，放在死者口中壓舌用。」

「用蟬來壓舌？」她們奇怪：「這蟲子最吵了，整個夏天都在叫。」

「若是女屍，等於雙重長舌。」

大家笑起來。

梁太太問梁儉：

「舌頭爲甚麼要壓住？」

他笑道：

「不想女人太多話。耳根清靜。」

她白他一眼：

「有話要說總找得機會說的。」

末了又叮囑：

「我那邊住下來，每隔兩三天打電話CHECK你。你還是不能耳根清靜。」

梁太太在店中，還再三道：

「別給她超過三萬。當然可減則減。」

女人來了，梁儉說了很多，她都不大入耳。她是對一切買賣了然而冷淡，心裏有數，只關心到底玉蟬淪落到甚麼地步。

女人收下支票，便走了。

一轉身便走，怕自己捨不得。

梁氏夫婦都很高興，這正是移民前夕上佳禮物。

梁太太的高興是附加的——女人根本不打算留下聯絡線索。貨銀兩訖，一刀兩斷。等錢用的來客，總是這樣，爲了三分自尊，傲然地走。

再在燈下細看玉蟬，雖已摩挲過幾百遍。只見它渾身如羊脂白，不透明，光素，紋飾古樸，蟬翼難辨，長約一寸，只在腹部，有一抹嫣紅的暈，如血所化。

梁太太是放進手袋貼身上機去的。

梁儉留在港，繼續他的營生。

真假的玉，經他過手，也就無分真假了。

近日他「發明」了一種方法，便是好好利用最新科技：用微波爐「焗色」。只要控制得宜，比電爐電煲奏效。

一晚。電話震天地響，一聽，傳來驚慄的哭音：

「阿梁，阿梁，那玉——那玉變了！」

「甚麼？」

「你叫我有空便摩捏它，沾些人氣，使玉色更好。阿梁，我不知道爲甚麼是這樣的？這東西——我扔掉它好不好？」

「不！」

梁儉知道最好的玉，除開闢邪之外，還帶來運氣。只要沾上人的手澤、體溫、氣息，就更滋潤通透，雲開見月。這塊起碼是漢或之前的白玉……。

梁儉連忙整頓行裝，一看究竟。

到了溫哥華，一進家門，便把兒子推開，喝道：

「玉呢？」

來時已經是一個月後的事了。

梁太太自密封的匣子中取出，她已經一個月沒敢碰過它。像引爆定時炸彈地打開了。

一看——咦？又變了！跟上次又不一樣！

梁儉的手微抖，拈起它，先審視背面，沒事呀。

「你看，有字！」

是腹部一抹嫣紅。玉質出來了嗎？抑或那紅暈更頑皮了？它像一根手指，在逐日逐日的加添色彩，書成奇怪的字，原始而稚氣，如女人所寫，如女童所寫。

那是一句話，憑肉眼看不分明。梁儉把它放到放大鏡下。它道：——

「冤枉相思，吾當言之」

如何「冤枉」？爲誰「相思」？

吾當言之？幾千年前被一塊玉壓着舌頭的一個死者，有話要說？

說的是甚麼？翻天覆地的變化？抑個人冤屈？

爲甚麼這個神秘包袱會落到梁儉的背上？

——他不要知道！他情願根據自己的意願安排他的下半生。

梁儉拎着恐怖的含蟬，他明白這是奇異的寶物，無價的預言。要不要留住？等它揭盅？誰知到時要付出甚麼代價？關乎人命嗎？這回連鐵算盤也算不了。

要等一年後、十年後、廿年後……

遠慮近憂，機關算盡，誰知驀地發生甚麼意外，措手不及？

他彷彿聽到遠古飄忽的蟬鳴，或那含糊的舌音：

「——嗚——噹——啷——吱」

徐福與烏丸株式會社

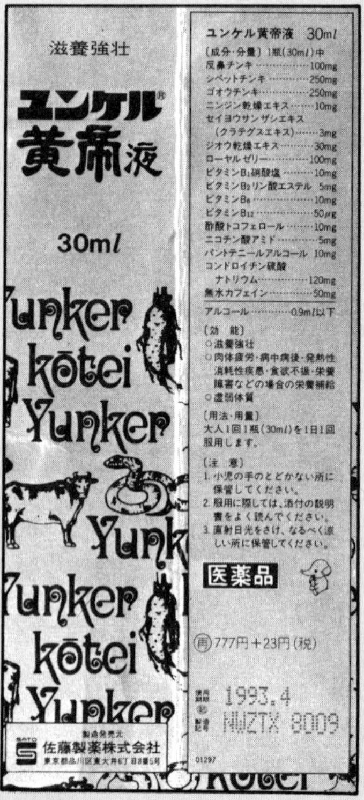
滋養強壮
ユンケル®
黄帝液
30ml
Yunker
kōtei
Yunker
Yunker
Yunker
kōtei
製造発売元
佐藤製薬株式会社
ユンケル黄帝液 30ml
〔成分・分量〕1瓶(30ml)中
反鼻チンキ……100mg
シベットチンキ……250mg
ゴオウチンキ……250mg
ニンジン乾燥エキス……10mg
セイヨウサンザシエキス
(クラテグスエキス)……3mg
ジオウ乾燥エキス……30mg
ローヤルゼリー……100mg
ビタミンB1硝酸塩……10mg
ビタミンB2リン酸エステル 5mg
ビタミンB6……10mg
ビタミンB12……50μg
酢酸トコフェロール……10mg
ニコチン酸アミド……5mg
パントテニールアルコール 10mg
コンドロイチン硫酸
ナトリウム……120mg
無水カフェイン……50mg
アルコール……0.9ml以下
〔効 能〕
○滋養強壮
○肉体疲労・病中病後・発熱性消耗性疾患・食欲不振・栄養障害などの場合の栄養補給
○虚弱体質
〔用法・用量〕
大人1回1瓶(30ml)を1日1回服用します。
〔注 意〕
1. 小児の手のとどかない所に保管してください。
2. 服用に際しては、添付の説明書をよく読んでください。
3. 直射日光をさけ、なるべく涼しい所に保管してください。
医薬品
777円+23円(税)
1993.4
NWZTX 8009
01297

「你就是我們要找的人了！」

兩個陌生男子站在烏丸福太郎「中華料理」小店前，如獲至寶，態度十分誠懇。

「請答應我們吧！」

「找了兩個星期呢。」

福太郎六十歲。頭有點花白，但臉色紅潤，精神矍鑠。他腰板挺直，動作麻利，走路時往往帶過一陣風似的。額寬而突，有奇相。他不算矮，比武大郎高多了，只不過腿有點羅圈，生生把身子往下按低兩吋而已。

聽得兩個男子如此說，烏丸福太郎心頭一凜：糟了，身世被揭發了。

但他保持鎮定，畢竟見過世面的人了——甚麼没遇過？在毛頭小子跟前失態，便是恥辱。而且自己啥也不説，把嘴巴緊封密聯，誰能套出底蘊？

都過了二千二百多年了。

「我是中森一。佐藤株式會社委託我們重拍一個廣告。希望老伯答應當我們的主角吧。除了你再沒更好的人選了！」

他們就是看中他白髮童顏，老而彌堅。

那是甚麼藥？滋養强壯補品。

漢方「皇帝液」。——直接點説吧，乃是春藥。

日本人對性事研究得最細緻了。充斥市面的春藥，除了内服，尚有噴霧劑、外塗劑、嗅吸劑……。名堂多多：約羅拉、莖乃精、史高樂、熊貓、狀龜力、安哥尼加、活力丹、稱心靈、愛油、史哥諾、勁猛、卡路四十六、金蛇精。競爭很大。「皇帝液」一直暢銷，但近日廠方與及架步生意人，以歲數大的客人越來越多，他們有錢愛玩，社會極其關注，廣告目標隨而有變。

不再是那個瞪眉突眼的中年漢，也想向老人家入手。

找烏丸福太郎扮演坐擁牡丹的風流壽徵？

他們找對了。太對了！

——可見他們極其慧眼。

聽罷來意，哦，不過拍廣告吧。他饒有深意地笑了。

在我跟前談「藥」？你知道我是誰？

烏丸福太郎是中國至日本的第一代移民。

在他以前，還沒人登陸過。

他本意也不是在這地方落地生根，只逼於無奈，爲避惡勢力，惟有設計逃出生天。

渡過滄茫大海，於紀伊半島的熊野浦上陸。附近一座山，向稱「蓬萊」——也許冥冥中爲他圓了謊。

烏丸福太郎原來不叫這名兒。「烏丸」乃他自改的姓。斯年，此地不過是一個荒蕪簡樸之農地，矮矮胖胖的倭奴，姓犬養、豬木、龜山……，非常貼合身份。福太郎的「烏丸」，也是他身份象徵。命中至寶。

想他那日，於煉丹房內，心慌意亂，甚麼「硝要炒燥，礬要煅枯」，甚麼紅升白降，都拋到九宵雲外。丹藥罐口固濟不嚴，胎不團結，隨時飛升無覓。

但，一個一個的方士奉命獻呈丹藥，無一倖免生還。他雖則勉定心神，按量放入水銀、火硝、白礬、皂礬、食鹽、朱砂、雄黃、硼砂、白砒、硫黃、太陰元精石、馬錢子、黑鉛、冰片、麝香……，他的手在抖。

五色泡俱陳，叫他老眼昏花。

回過頭去，便聽得方士程宣，作垂死哀號：「請代稟陛下，丹藥尚未煉成，需稍待三五天——」

侍衛不由分說，拖將出去。凶多吉少。

手更抖。

拈起甚麼倒甚麼。

思潮起伏——長生不老藥？煉成了，暴君永世踞位不去，當不留活口秘方；煉不成，肯定沒命。

丹鼎如縮小天地：「一鼎可藏龍與虎，方知宇宙在其中」。五色翻騰，發出奇異香味。他一驚，誤打誤撞，不知抖落了甚麼？再也憶記不起……

五色混成黑色，藥物走成一丸。是烏丸。

——此乃他姓氏來源。

烏丸福太郎，原名徐福。

他來日本絕非單身匹馬，他是風風光光地承皇命，於始皇帝二十八年壬午，入東海，至蓬萊、方丈、瀛洲三座居有仙人的仙山求藥，爲那野心建萬世基業的秦始皇求「長生不老藥」。

徐福把心一橫，編派得活靈活現。始皇帝謀求已有卅年，寧信其有。徐福領五百童男女，乘坐大樓船，攜五穀雜糧種子及農具，出海之後，從此不再回來。成爲新移民。

樓船誓不還，皇已葬驪山。世無長生藥，諸侯盡入關。——長生藥不是沒有，是只有一顆，誤打誤撞給煉出來的一顆烏丸。

他已六十歲了，當然賭一局，吞下它。

此丹無方可尋，難有依據。徐福連番實驗，總是流產。

一回煉得一丸，色相相近，那批聰明的童男女，沒一個肯嚐藥。生怕去得更快。

童男女們，開始適應異國環境，各自找尋對象談戀愛，又各自嫁娶。未幾，再也沒有童男女了。

當年，公元前二一九年，窮鄉僻壤未有律令，一度流行一夫多妻，一度流行一妻多夫。

他只能在旁乾瞪眼。

未幾，頭一批隨他移民的，已成「上一代」。生老病死是正常程序，只老爺子不正常。

年年不老。——不再老下去，止於六十。

骨肉一直繁衍。

徐福眼看生生世世，回黃轉綠，他覺得自己是天下第一寂寞人。

炎黃子孫，漸漸分支，成爲這海島的先民。秦朝文化：書道、茶道、花道、編鐘音樂、絲織、活魚生吃……，甚至烙餅和甜食，都成爲新日本文化。一直流傳。——當然日本人不認賬。

但徐福一直不敢出來頂證，只把日子熬過去。

他心知危機四伏。

醫藥發達，文明進步，科學界一旦知道世上僅存超過二千歲的超級人瑞，還不擒來研究？一個人長生不老，但失去自由，有甚麼樂趣？——甚至不敢結婚。當然也沒誰會嫁他。

徐福搖身一變，成爲烏丸福太郎。獨身。蟄伏。

「福太郎，你早！」

「野口太太，你早！」

「請給我四個豚肉包子。」

「嗨！」他深深鞠個躬，禮多人不怪，問：「燒賣也要吧？」

「吃了像你一樣不顯老越來越壯健麼？」

——一聽鄰近八婆隨口的笑謔，他便心驚膽跳。是不是秘密被揭穿了？於是「福太郎中華料理」又結束營業，人間蒸發，換一個地方謀生去。形同逃難。

可見中國人有數千年的經驗，逃難至今仍是專長。

但爲了不成爲活標本，他還得「遊牧」下去。致豚肉包子這麼簡單的小吃，全日本流行。

及至他落腳東京品川區附近小巷，蒸籠又冒起蓬蓬白煙，繼續包子生涯，前塵不願重提之際，他的歷史改寫了！

先買一瓶「皇帝液」研究研究。包裝倒是不錯，金底黑字，高貴尊榮。加上稅，賣八百圓。說到成份，他嗤之以鼻。

這好算春藥？不過小小營養劑。還是看他烏丸福太郎，不，徐福先生的吧。他是堂堂大秦的方士，即使最失敗的長生不老藥，已經是最成功的春藥了。加上微量的砒霜效果更佳。——回不了一生的春，也回得一個晚上的春！

他決定另起爐灶。

蒸豚肉包子的爐，又變成煉丹爐。寶刀未老，雄心猶在……。

製成品名曰「春之烏丸」。

他太明白了：追求長生不老，心勞日拙，精疲力竭，到底也失望。他自己只是一個吞下意外產品的怪物。

生老病死，新陳代謝，大自然規律。人人長生不老，何等苦悶。連打麻將也得執位。世上之所以有矢志不渝的愛情，忠肝義膽的氣概，皆因爲時相當短暫，方支撐得了。久病床前無孝子，曠日持久不容易，一切物事之美好在於「沒時間變壞」。

爲甚麼要與時間爲敵？

不若造福高齡花客，圖眼前之歡吧。

「春之烏丸」上市後，一舉成名。

烏丸福太郎的逃難生涯圓滿結束。雖則身世如謎，但漢方倒是不爭，打救了不少「永垂不朽」的老人家，成爲巨富。

今天，他在東京自置的烏丸株式會社三十七樓會議室中，宣佈本年度，轄下遍佈本州九州北海道的六十九間「歡樂屋」營業大計：

「(一)老人保健行動：超過六十歲的客人，可在進房前免費量血壓測心臟，以免未曾真箇已銷魂。

(二)可憑歡樂菜單分件點菜，最低消費是由裸女陪老人家講淫話，討他們歡心。

(三)在節日，如較傷感的歲暮或新年，給寂寞的尋歡老人減價，送上身心暖流。」

大家都讚羨他可發財立品。

末了他還向手底下的人強調：

「若有來自中國的高幹出差至此，追求人生至高享受，要對他們特別照顧，格外熱情。」

是的，他對「中國」別有情懷。

飲水思源，想到離鄉背井近二千三百年，大地經歷朝代興衰起跌，革命轟轟烈烈，他竟無付出。

他最明白「無力感」。

故，他最瞭解老人家心態，一如可以到異地逍遙的高幹們：江山已定，往往對美人力不從心。精壯之年爲了打天下，應該享受的都没享受着。——如果他們三四十歲時，革命已經成功了，又得改革開放，多好！

……可惜，後來，除了紅旗之外，啥也不舉。

徐福永恒的遺憾，同他們一樣。

爲甚麼不在三四十歲之年就把長生不老藥給煉成了？

爲甚麼不早一點？

爲甚麼偏生在一個「尷尬年齡」停滯？活下去，行屍走肉。

——沒有一個人的慈善福利行動，是不帶點背景的。

山鬼

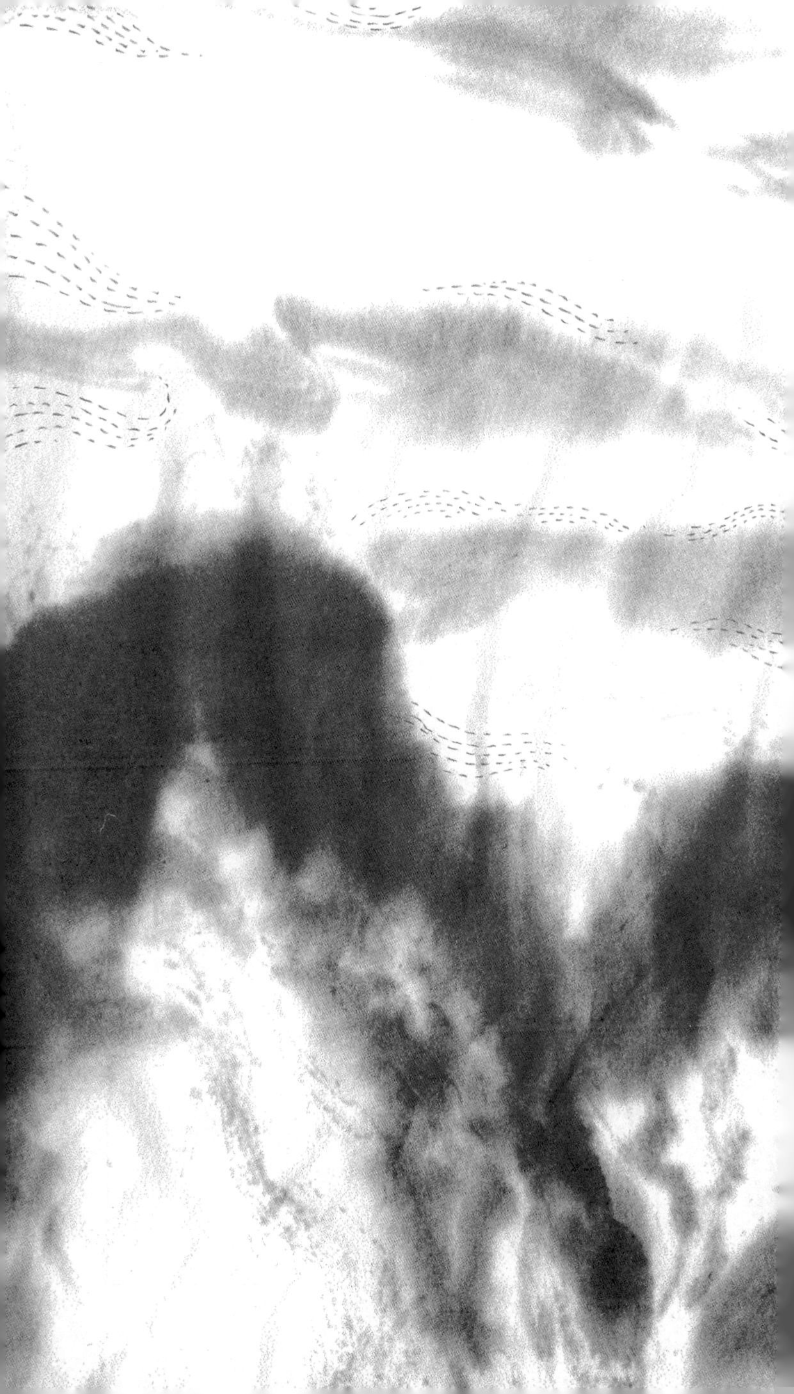

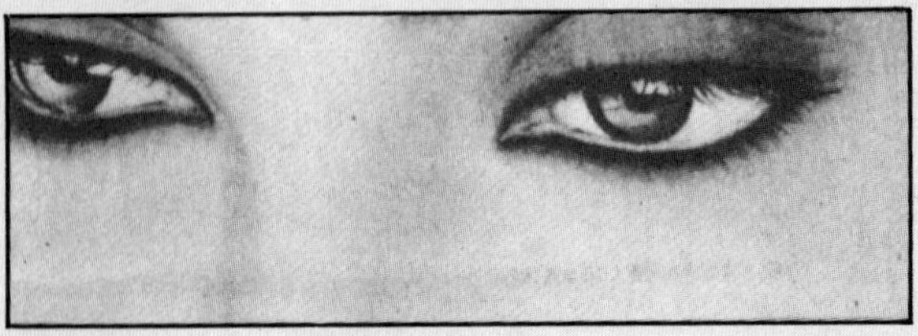

「乘赤豹兮從文狸，
辛夷車兮結桂旗。
余處幽篁兮終不見天，
路險難兮獨後來。
怨公子兮悵忘歸，
君思我兮然疑作。
雷填填兮雨冥冥，
猿啾啾兮狖夜鳴。
風颯颯兮木蕭蕭，
思公子兮徒離憂。」

——節錄自《山鬼》・楚・屈原

颼——颼——

豹彪悍地急馳如飛，穿越山林亂石。豹渾身赤𩇕，一雙冷眼卻發出藍幽幽的光。背肌聳伏如浪，忠心而勇猛地拉着一輛木頭車。

山鬼坐在車上。她去赴約。

（他說過一定來的。）

木頭車過處，遺留迎春香木的芳菲。上面還插着五彩的旗子，是桂花枝所做。

她急着要見他。

披了一身好衣裳，用青青的薜荔纏着叫人走不了，衣帶是女蘿。

衣帶是願托喬木的女蘿。

不知帶甚麼手信好？山上有的是無價的香草。馬蹄香、靈芝秀。

（我送贈你的，連根拔起。）

她的眼神不自覺地流盼四方。她很想跟他說話，不求甚解。手中有一朵花缺了瓣，連忙把它摘下，丟掉。盈盈一束都是圓滿。

到了山路的盡頭，赤豹停下來。追隨在車子左右的一群花皮野貓也放緩了急步。

野貓俏皮地你看我我看你，又懶懶地依偎在她身邊。看她。

豹回頭，忠心耿耿。

豹說：「他沒有來。」

她只自語：「呀我來晚了。」

豹有點不悅。牠已全力以赴。

她道：「莫非我遲到，他等得不耐煩，又誤會我不來，所以先走了？」

（他眞沒耐性。我是一定來的。）

看，久住在這深暗的竹林子裏頭，竹身有粗有細，葉子如陌生人的手指，一根疊一根，掩蔽了眼目，看不見前景。

（那是誰的手？）

葉子如上了一層厚厚的釉彩，埋葬了心底的顏色。我知道我心中想的是甚麼。但見不着你，心也失血失色。

有一隻古老的獨眼在窺伺。便只好在險阻的山路穿插，鑽出去，鑽出去，逃出生天。

所以我來晚了。

豹勸她：「如果他不肯等你，一定是思念得不夠。」

野貓們袒腹挺胸，伸個懶腰：

「你甚至不記得他的樣子吧？——也許你只是愛上『愛情』吧？」

她遇上他時，他在採藥。他讀本草，他會唱歌。他唱簡單而一矢中的的山歌。是：「山草青兮，若我心。與一生兮，然莫疑！……」那種，毫無修飾。

——比獸更像獸。因爲真。獸不懂得迂迴。獸是坐言起行。

人語似文明的獸聲。花巧而溫柔的微噱。山鬼顯然受驚擾。她看着他。

心花怒放。如芳馨如杜衡，帶着可怕的香。

（原來獸得道便是穿衣的人。）

是他先走上前的。

是他先問：「你從哪裏來的？」

現她已等了好久。她一個人站在山上，等他。山拔地而起，人拔山而立。雲彷彿在她腳下飛動，是她的心跑出來，跌在腳邊。是心在飛動，沒有後路。

（**最甜美而毒辣的折磨是思念。**）

風漸漸大了。

風藉機掌摑她。她沒有醒。

天地臉色一沉，一點贊同的意思也沒有。不高興她在等，等了好久。於是連青天白日，也昏暗不明，催促她灰心。暴雷響了！

煙籠遠樹，景物迷茫。雨絲如被篩子篩過，都整齊、有分寸。

（**如果你不來，我不走！**）

他問她：「你多大？」

她反問：「你呢？」

「十九。」

她不語。山鬼九百一十九歲。

「我忘了。」

爲了留他，她忘記了過去。一朵歷煉的花，但你能置之於死地而後重生嗎？山鬼寄望那個採藥的人來，好使她變得年輕。

手中的香草可會枯萎？——曾在磊磊的碎石堆，糾葛不休的亂藤間，親手採摘的。

聽到好事之徒黑色長尾猿的叫聲。牠在嘲笑這窩囊的山鬼：「他才不會要。」

（他另結新歡？是一個賣胭脂的女人？）

他要一束香草幹甚麼？他要一筐靈藥幹甚麼？他也不再採藥了。他去讀書。

她不忿：「賣胭脂的女子何等凡俗？」

不屑。

(他心中仍是思念我的。)

(我不信!)

(但他是否記得約會?)

口渴。山鬼喝的是石中流出的泉水,居住在松柏的樹蔭下,一身是靈秀。

多麼尊貴、高潔。她遠離市井。

而且我在等他。不二志。

(他來?)

(他不來?)

山鬼自欺:「他當然是想着我,一時走不開,沒空趕來,那是情有可原的。」

（一會兒覺得理應如此。一會兒又疑惑。兩個念頭在互相攻訐。不是你死就是我亡。小小的一宗事兒，弄得心如刀割。來不來？）

她頹然坐下來，一頭長髮早被風吹得蓬蓬亂。她用力執着一綹，編根辮子，在髮梢打個結。又用力執着一綹，編根辮子，在髮梢打個結。……

風的手指暴烈地穿過枝椏，落葉蕭蕭而下，發出悽厲的哭聲。那手指也兩敗俱傷地血肉模糊。嗚嗚……

（還是捨不得走！一走，連一半的希望也沒有了。——萬一他後到了呢？）

山鬼又等了好久。

髮結比心結還要亂。

頭太重，把髮結撕扯下來。一地。帶血。

毀棄好衣裳。薜荔殘如縷，女蘿屑碎。

獸伴着她。眼神費解。

（爲甚麼簇擁着我的只是斑斕的獸？）

（赤豹、文狸、猿，狖……）

她俯瞰。雨過放晴。山下，啊——

他來了！

他領着新婚的妻子歸寧。他挽着她的手。她臉上有胭脂。她賣胭脂，胭脂緋紅。

行客稍息，便坐下來。他先把一方手帕鋪在石頭上，才讓她坐。她有重量。她是活色。

喝一口石中流出的泉水。水可在口中變暖。

他看着妻子純真而深情的眼睛，告訴她一點未忘的往事：「有一天，我採藥上山，倦極而眠，作了一個綺夢。多可笑——」

妻子佯嗔薄怒：

「綺夢別說與我知。」

……

（不過是這樣。）

（不過是這樣。）

（不過是這樣。）

（不過是這樣。）

（不過是這樣。）

——山鬼終於平靜地，深沉地一笑置之。

只向已就位，蓄鋭待發的赤豹道：

「原車回去。」

就這麼簡單。

荔枝債

木門敞開了。

鄭敏先見到一張美麗的臉。三十多歲，膚色細白，嘴唇豐厚，微微地嘟隆起，很性感。好似在電影中見過的桃井薰。珠圓玉潤。她第一次發覺，日本女人，原來胖的也好看。

女人忽地一怔。

她狐疑地問：

「阿鑾？——」

鄭敏一笑。一定是認錯人。

「我剛打過電話來。」

「哦。」女人定過神來。又不甘心：「——有人這樣叫過你嗎？」

「没有呀。」她把行李箱子拎進去：「我叫鄭敏。」

環視一下，是左右兩進的木房子。右邊是主人的居停，中間有個小小庭院，種了花木。木板造的小走廊，通往浴厠。左邊的一進，同樣分兩層。地下的一層，大概是客人的房間了。

「請過來。」女人引着路。

鄭敏在京都驛站下了車，買了本觀光及宿泊介紹的小册子，頑皮地想：

「翻到哪頁就住哪家。」

先決定住民宿。東山區。在六波羅蜜寺附近。她撥通了電話。

「摩斯摩斯——」

一談之下，對方原來懂一點國語。議好價錢，四千日圓一個晚上，比住酒店便宜三分之一。鄭敏覺得非常滿意。

房間小小的，四疊半，也夠用。女人送來一壺開水。碟子上還體貼地有個銘茶茶包，和一塊米餅。鄭敏馬上對她具了好感。

宮本麗子說的國語其實並不流利，像荒疏已久，記不起來。又像兩種文法絞在一處，一時之間費神分辨，所以說時慢慢的，有點怯，是日本女人慣常的那種謙抑嬌俏，生怕自己做得不好，未語先笑。

鄭敏人比較爽直，幹不來這套。只旁觀欣賞。她在大學讀比較文學，也修了兩年日文，畢業後不想找工作，申請了一個獎學金，挑了到京都大學研究院讀中國文學，爲期兩年。

六月初，先來面見系主任藤原信三。九月正式開學。

此行是部署。包括在百萬遍附近找個落腳的地方。京大裏的中國同學，有兩個香港人，一個上海人，代她物色。暫時便住在民宿，就是無意中指點到的這家。

「噢，百萬遍，」宮本麗子道：「坐巴士，就直到了。」

她又關心地問：

「在哪裏坐？知道嗎？走出東大路通。」

遇上大量的句子，她還得說日語：

「在百多年前，那處有大瘟疫，知恩寺的和尚們日夜誦經祈福，有百萬遍呢。直到人們都好了，瘟疫跑了。」

「謝謝。」鄭敏道：「你說日語我可以聽懂。」

「不，」她只親切地：「中國話，很久沒說，想多說。」

鄭敏先到附近一帶巡視。是頗爲古舊的一區，店子賣籐具、神器、木祭品、茶葉、念珠、京果子，有間書報雜誌商店。六波羅蜜寺，是京都八百廟中一間，這裏大街小巷五步十步之遙，已有一座廟。

和尚敲着晚鐘。肚子也餓了，便在市場旁邊吃過心愛的蕎麥麵和壽司。

已是初夏，但晚上仍有絲絲涼意。

麗子在浴室，放好一大缸的熱水，讓客人先用。

鄭敏跳進那個小游泳池般的浴缸洗好了，便信手把塞子拔去。熱水咕嘟地流去。半天也沒放盡。——鄭敏突然省得：她壞事了！

按日本人的習慣，那缸熱水不是洗澡用，而是讓人在水龍頭下洗好澡，沖乾淨了，再坐下去浸泡用的。一家大小都用它。客人先享，卻也不能這樣胡來。她尷尬地望着一缸溜走中的熱水。

惟有到右進去道個歉。

「麗子——」

她叩門。

麗子沒應，她正忙着。鄭敏自半敞的門看見她，吃着一罐糖水荔枝。那是國產。荔枝剝了殼，浴在糖水中，太甜太膩，她不喜歡吃。

但麗子，她可吃得美滋滋的，豐厚性感的紅唇張開，荔枝淌着甜汁，被啜弄着。已幹掉大半。原來桌上另有兩個空罐子。不知如何，鄭敏就覺得她像吸血殭屍見到一條蹦跳着的粗大的血管一樣饞。

麗子整個人醉得白裏透紅。

看上去也就是顆荔枝了。

她抬頭見到鄭敏，有點慌張於失態，連忙停住，不好意思：「你吃嗎？」

鄭敏搖頭：

「新鮮的才好吃。」

忽想起有唐詩曰：「一騎紅塵妃子笑，無人知是荔枝來。」

「在中國，它喚作『妃子笑』呢。」

「我知道。」麗子胸有成竹地：「皇上命驛馬專程自四川運到長安嘛。爲討她歡心，要整棵樹砍下來，不能把果子摘下，因爲荔枝一離樹，紅色的殼便容易變黑，失去鮮艷的吸引力。」

鄭敏才知這典故。便道：

「咦，多像女人的命運。」

麗子默然，低下頭。

夜幕輕盈垂落，鄭敏鑽進鋪在蓆子上香香軟軟的被窩，不知是否錯覺，總是聽見一陣一陣的歌聲，如怨如慕。也分不清是中國曲子，抑日本小調。

第二天麗子端上朝粥，有幾碟小菜和燒魚。鄭敏先挾一顆小梅。

「你下回來，可以幫我帶些新鮮的荔枝嗎？」

「好吧。你真饞呢。」

「這裏買不到。罐頭極貴，也不多。」麗子説：「物離鄉貴，人離鄉賤。」

鄭敏發覺宮本麗子身邊沒有男人。

她也沒問。

夜晚那幽怨的歌聲，或者是她所哼。

麗子很喜歡找她聊天。一個寂寞的女主人。她掀着她的中文書本，努力地看，很多字看不懂。鄭敏問：

「你的中國話哪兒學來的？」

「在中國。但久了，都忘了。」

「你到過中國？哪裏？北京？上海？」

「長安。」

鄭敏糾正她：

「你是說西安吧？」

「——長安。」她固執地。

算了，日本人眼中的長安抑或西安，都一樣，只有中國人愛把地名改來換去，例如北平抑或北京。

麗子中日語夾雜說：

「京都太像長安了。都是棋盤似的分區，中間一條大道，也叫朱雀門大街，同長安一樣。遣唐使都學上了。京都可是縮小的長安。——不過，到底也不一樣。」

末了她有點黯然。

「我没到過西安，不，長安。」鄭敏告訴她：「以後去吧。那兒有兵馬俑、半坡村，還有華清池。我看過圖片，池子像足球場大呢，我不相信楊貴妃光天化日下洗澡。」

「皇上賜浴華清宮内浴池。」她忙解釋：「他們傳言不負責任！」

鄭敏奇怪她那麼好管閒事。

六月十四日那天，宮本麗子神秘地邀約她：

「我帶你到一個地方去。」

她上了粉紅色的臉粉，仔細化好妝。鬆鬆的挽個髻，穿着素淡日式寬袍，無鈕，只打個結。看上去怪怪的。鄭敏想：怎麼整個人只一張臉有顏色，遺容一樣。她問：

「是——參加些甚麼聚會嗎？」

一路上，有點忐忑，又有點好奇，隨她左右，麗子氣定神閒地走着，很肅穆的樣子。

計程車停在斜路下。

有個木牌子：「御寺泉湧寺」。

又是一座廟！

不止呢。循此斜路上去，都是甚麼即成院、法音院、戒光寺、悲田院、善光寺……。樹影蔽日，不時灑落一些紅色的小果子，有灰紫鴿來啄食。

不久來至目的地。

麗子一言不發，逕到一間小小的觀音堂。原來她今日來拜神。

鄭敏一進去，見觀音像，頗爲驚詫。

這是一座楊貴妃觀音！

楊貴妃甚麼時候成爲日本人參拜的觀音？

細看那佛像，是個美女，垂目微笑，頭戴唐草雕塑透明的寶冠，手持極樂之花，端然安坐，雍容華貴。

因它栩栩如生，鄭敏看得呆住。

「你，以前見過她麼？」

「沒有。」

「她是楊貴妃。」麗子提醒。

「這有說明。是貴妃在馬嵬坡被縊死，唐玄宗爲紀念愛妃，以香的白檀木雕塑坐像，由高僧湛海從中國請來泉湧寺供奉。」

鄭敏又撇撇嘴：

「身爲皇帝，把媳婦據爲妻，末了連保護一個弱女子也做不到，再長情又如何？無補於事！」

麗子竟聽得泫然：

「只恨安祿山作亂，六軍不發無奈何啊。」

「歷史是這樣說的，但我總覺得楊貴妃笨，這樣窩囊的男人怎值得爲他而死？」

「她沒死！」

麗子望着那觀音像：

「她在馬嵬坡下的佛堂，被内侍縊至氣絕，但未斃命。玄宗與六軍走後，復甦，隨從及宮女隱瞞了，讓她偷偷上了遣唐使的船，自日本山口縣登岸……。」

真是匪夷所思。

鄭敏目瞪口呆，麗子低迴：

「走吧。說了，你也不明白。」

「怎麼會？……」

「——所以，這是傳說。」

在以後的十天內，麗子的話顯然少了。她只淡淡跟鄭敏道：

「人家的感情，我們不必多話。」

鄭敏只覺麗子遠着她了。

到要回港時，結了賬，在木門外道別：

「要我幫你買新鮮的荔枝嗎？」

她道：「隨緣吧。」

鄭敏有句話在口邊，吞下去。終又按捺不住疑惑：

「——你是誰？」

她瞇睫着一雙媚眼，微笑：

「宮本麗子。」

九月。

新學期開始了。

藤原信三先生是有名的漢學家，他出版過十多本書，主要是唐詩、宋詞、金瓶梅和新舊唐書的論文。他還打算退休後，把水滸傳譯成日文，他懂呢，強調，是一百二十回那版本。

今年開的課程，也包括了白樂天的研究。藤原先生是白居易詩迷。

他精研「長恨歌」。

因爲日本人鍥而不捨的精神，在鄭敏，及其他十三位同學的面前，展現了一個中國愛情故事的謎底：

「天旋地轉迴龍馭，
到此躊躇不能去。
馬嵬坡下泥土中，
不見玉顏空死處！」
——他在馬嵬坡下，只見紫褥，不見屍體，而香囊仍在。
「上窮碧落下黃泉，
兩處茫茫皆不見。」
——天堂和地府都找不着，她當然仍在人間。
「忽聞海上有仙山，
山在虛無漂渺間。」
——海上仙山是蓬萊，蓬萊即東瀛，她來了日本。

……

藤原先生還道：

「位於山口縣，向津具半島的久津，有一座『楊貴妃之墓』的五輪塔。」

鄭敏當日下課後，即乘車到東山區去。

如果楊貴妃沒死在中國，她便生生世世，都漂泊異鄉嗎？

重回這民宿，重見這道木門。

木門敞開了。

那不是宮本麗子。她搬走了。房子賣給一位丸岡先生，同樣作宿泊的經營。

但她搬走了。——不知她落腳何處？

人海茫茫。

也許一切只是巧合。

也許她神經過敏——她應該改名，喚鄭過敏。

三個月後的某一天。

黃昏，天開始下着初雪，以爲是雨，但細碎有聲。原來又近聖誕。

鄭敏在河原町附近的新京極買冬衣。回程車子走四條通，過祇園。她見到她！

宮本麗子豐腴的身子裹在一件茸茸的白裘中，雪膚花貌參差是。一如復甦的牡丹。

她挽着一個男人，嬌嬌地說着話。仰面睨着他，待說我不依……。

那男人，並不年輕，看來五十多了吧，鬢髮有點花白，笑瞇瞇的，非常從容。

二人走過，比翼鳥連理枝，委婉承歡，全無歷史包袱。甚麼叫「三千寵愛在一身」呢?大概是這樣子。在興旺繁盛的祇園。

鄭敏想，那男人的魅力，必然因爲他的權勢、金錢、江山，添他氣度。要是一切都沒有了，也不過是年逾半百，低首下心，護花無力的糟老頭子而已。——就如「花鈿委地無人收，雀翹金雀玉搔頭。君王掩面救不得，回看血淚相和流」。

千年後的楊玉環，如何與李隆基遇上了?天長地久有時盡，她要還他?

難怪她搬走，跟定他。

但她仍在京都徜徉。即使回不到故國，再沒任何一個地方比京都更像魂牽夢縈的長安了。——連中國的西安也不像長安。

若是一雙鬧市中的男女，即使愛情命運多麼的曲折迂迴，相信不會致命，沒有六軍大喊，催逼落難的皇上絞殺貴妃方肯聽令。

作爲局外人、旁觀者，人家的感情，我們不必多話。

不管她是誰。

但我是誰?鄭敏通宵失眠。

——她在唐史上竟找到一個似曾聽過的名字。

「謝阿蠻，四品女官，宮中舞姬，與貴妃合，交情莫逆。曾贈以金粟裝臂環。……」

荔枝債

作者：李碧華

出版：天 地 圖 書 有 限 公 司
香港皇后大道東109～115號智群商業中心十三字樓
電話：2528 3671　　圖文傳真：2865 2609
香港灣仔莊士敦道三十號地庫（門市部）
電話：2528 3605　2865 0708　　圖文傳真：2861 1541

承印：亨 泰 印 刷 有 限 公 司
香港柴灣利眾街27號德景工業大廈十字樓
電話：2896 3687　　圖文傳真：2558 1902

發行：利 通 圖 書 有 限 公 司（港 澳）
九龍紅磡民裕街41號凱旋工商中心8樓C
電話：2303 1010（13線）　　圖文傳真：2764 1310

一九九九年修訂本．三版

李碧華作品

□青紅皂白（散文）
■胭脂扣（小說）
□色　相（散文）
■青　蛇（小說）
□戲　弄（散文）
■鏡　花（散文）
□糾　纏（小說）
■生死橋（小說）
□幽　會（散文）
■白　髮（散文）
□潘金蓮之前世今生（小說）
■秦　俑（小說）
□綠　腰（散文）
■个休戶（散文）
□天安門舊魄新魂（小說）
■滿洲國妖艷——川島芳子（小說）
□不但而且只有（散文）
■江　湖（散文）
□變　卦（散文）
■霸王別姬新版本（小說）

□南泉斬貓（散文）
■好男人不過是一瓶好的驅風油（長短句）
□恨也需要動用感情（長短句）
■中國男人（散文）
□水　袖（散文）
■破　戒（小說）
□草　書（散文）
■潑　墨（散文）
□泡沫紅茶（散文）
■蝴蝶十大罪狀（散文）
□礦泉水（散文）
■基情十一刀（散文）
□吃貓的男人（小說）
■聰明丸（長短句）
□咳出一隻高跟鞋（散文）
■630電車之旅（最後紀錄）
□吃眼睛的女人（小說）
■八十八夜（散文）
□荔枝債（小說）
■流星雨解毒片（小說）